劉福春・李怡 主編

民國文學珍稀文獻集成

第四輯

新詩舊集影印叢編　第138冊

【柯仲平卷】

邊區自衛軍

戰時知識社 1938 年 10 月初版

柯仲平 著

平漢路工人
破壞大隊的產生

重慶：讀書生活出版社 1940 年 6 月出版

柯仲平 著

花木蘭文化事業有限公司

國家圖書館出版品預行編目資料

邊區自衛軍／平漢路工人破壞大隊的產生 柯仲平 著 -- 初版 -- 新北市：花木蘭文化事業有限公司，2023〔民 112〕

62 面／146 面；19 ×26 公分

（民國文學珍稀文獻集成 · 第四輯 · 新詩舊集影印叢編 第 138 冊）

ISBN 978-626-344-144-6（全套：精裝）

831.8 111021633

ISBN-978-626-344-144-6

民國文學珍稀文獻集成 · 第四輯 · 新詩舊集影印叢編（121-160 冊）

第 138 冊

邊區自衛軍
平漢路工人破壞大隊的產生

著　　者　柯仲平
主　　編　劉福春、李怡
企　　劃　四川大學中國詩歌研究院
　　　　　四川大學大文學學派
總 編 輯　杜潔祥
副總編輯　楊嘉樂
編輯主任　許郁翎
編　　輯　張雅淋、潘玟靜　美術編輯　陳逸婷
出　　版　花木蘭文化事業有限公司
發 行 人　高小娟
聯絡地址　235 新北市中和區中安街七二號十三樓
　　　　　電話：02-2923-1455 ／傳真：02-2923-1452
網　　址　http://www.huamulan.tw 信箱 service@huamulans.com
印　　刷　普羅文化出版廣告事業
初　　版　2023 年 3 月
定　　價　第四輯 121-160 冊（精裝）新台幣 100,000 元

邊區自衛軍

柯仲平 著

戰時知識社一九三八年十月初版。原書三十六開。

柯仲平作：
大衆朗誦詩——
邊區自衛軍
讀書生活出版社總經售

邊區自衛軍

柯仲平

讀書生活出版社

一九三八年十月

版權所有 翻印必究

每冊實價一角六分

一九三八年十月初版

總經售 讀書生活出版社

出版者 戰時知識社

著者 柯仲平

邊區自衛軍

目　次

前記

邊區自衛軍

游擊隊像貓頭鷹

前　記

在工人中，農民中，知識份子羣中……在這些大大小小的集會裏，我朗誦過三四十次了。使老太婆也能聽懂的是「邊區自衛軍」。每一首詩有一首詩的特點，因比朗誦的調子也不能盡同。朗誦是一種音聲的藝術，它包含着音樂歌唱的某種優點，同時也有講話的某些成份，但它的活動常在講話與歌唱之間。

經過好多次的實驗，我認為朗誦必須採取，利用流行民間的多種多樣的調子，如民歌，民謠，小調，大鼓，小戲，各種地方戲，說書……等的優點都應充分採用。再，某種程度內的適用的外國風也是可以吸收的。

〔1〕

但是，假使我們詩歌本身不能充分利用民族的，大衆的形式來表現這一大時代的內容，不能發展這些民族大衆的形式；那末，我上面說的那流朗誦風格也就不能具體實現。

現在巳經是創造抗戰民族大衆詩歌的時候了。

空喊是無用的。應該埋頭實幹。

柯仲平 二七、八、四、

〔2〕

邊 區 自 衛 軍

(李排長與韓娃)

〔3〕

這是在邊區工人第一次代表大會上聽來的故事，後來，把這故事詳細告訴我的，是工人代表林光輝同志。

這詩寫後，曾得到一位同志的最崇高的鼓勵。我除深致感謝外，以後必然是更加努力的。

我們的文藝方向是抗戰的，民族的，大衆的。這方向統一着我們文藝作品的內容與形式。我們正在這方向前進。

這詩，可以用民間的歌調唱。

我願將此詩獻給我們邊區的自衛軍。同時也願獻給各地自衛軍。

—作　者—

〔4〕

第一章

左邊一條山
右邊一條山
一條川在兩條山間轉
川水喊着要到黃河去
這裏碰壁轉一轉
那裏碰壁灣一灣
它的方向永不改
　不到黃河心不甘

有個男兒漢
他從左邊山上來

〔5〕

他一轉一灣
　下得山來要過川

他的身材不高也不矮
　結結實實的一條好漢
他的服裝上下藍
　腰間纏着一條黃河水色帶
他的背上背着刀
　右手揮着一根旱煙袋
　鴨嘴帽兒歪歪戴
　脚下登着一雙麻草鞋
他那派頭像什麼？
　說他像從前的俠客
　他的腰間却有小手槍一桿
　他身上的槍疤刺刀傷不算
　額頭也曾帶過彩
他的一生好比這條川
　不知碰過多少壁
　　轉過多少灣
　他的方向永不改

〔6〕

他的工作比到黃河更艱難
他是不達目的心不甘
不達目的心不甘

他原來不喜歡憂愁
今天好像很憂愁，
他縐着眉頭走
有心事，誰也猜不透

他自言自語的罵了：
「媽的叛徒王三
把你[illegible]
公審你，槍斃你，
看你叛變不叛變！」

清水一邊淌
混水一邊流
他是一路走來一路想
他愁在心頭，恨上口頭

〔7〕

你問他的大名叫什麼？
川邊上，一個小娃子喊着：
「你從那達來？李排長——」
是小娃子的可愛
　將他那鎖住的眉頭展開
他說「我從山上來」
「你往那達去？」
小娃子學盤查放哨
排長不敢不理這個小英豪
他回道「往村子裏去」
「你帶路條？」
「不帶」
「不帶？——
不帶你怕是漢奸。
我要捉漢奸！」
排長笑起來
他說「我的路條就是我的嘴。
　　　我告訴你吧：
　　　你「噠」是個八路軍
　　　你媽是個洗衣隊

〔8〕

你是豐子團的一個小鬼！」

…………

太陽快要落到西山後
排長那有功夫再停留
排長給那小小英豪敬個禮
邁開身子就往川上走

三月裏
杏花開
三月川冰還未解
三分春暖七分寒

人在冰上走
水在冰下流
川流不顧回頭
戰士那甘落後

他頭上有靑空悠悠
靑空中有幾片桃色雲兒浮

〔9〕

他却一眼看中川邊柳——
　砍那柳桿做矛子
他想一槍兒包管
　扎穿一個敵人喉

　過了川，是沙灘
　沙灘過去是一個大村子
　村子面着川流靠着山
　村上農民多一半
　不知在這村上住了多少代
　他們都有鄉土愛
　他們的鄉土和他們的血肉永遠分不開

第二章

排長還沒走進村子來
早有三三五五的自衛軍
在那兒，你一言我一語的亂談
他們談論的正是王三

〔10〕

他們可沒有聽見
　排長的自言自語
　　「媽的叛徒王三
　　　把你捉來
　　　公審你，槍斃你
　　　看你叛變不叛變！」

他們有的也在罵：
　　「媽的王三你逃跑
　　　你總有天逃不了
　　　……………」

　　「王三這小子好吃懶爆
　　　他是自衛軍
　　　他還常常躲着吃洋烟」

有一人像批評也像抱怨
他說「早就該防備王三
　　　王三是個壞心眼
　　　王三早就懷鬼胎」
　　　　〔11〕

另一人粗暴的質問：

「你知王三懷鬼胎

為什麼你給他隱瞞

我們自衞軍的紀律他有心破壞

你不報告你給他隱瞞

你是幫助破壞！」

講王三「早懷鬼胎」的那人嗎

他臉紅筋漲

幾番幾次的爭着辯解

差不多就打起架來

因為他受不了這一種批判

現在說他是「幫助破壞」

明天講他「有漢奸的嫌疑」怎辦！

那他從此吃不開

一輩子別想把頭抬

其實他們啻不暗暗的承認了這種批判

〔12〕

不過，他只肯承認
是「無意的幫助了破壞」
　是「無意的」，彷彿那破壞的責任啊
　他就可以不負担。

一塲風波過去了。
「到底王三如今在那裏」
這個問題還是謎
這個謎還無下稍
他們的排長到來了

他們都來問排長：
　「打聽出來了？」
　「打聽出來了？」
　………………

要打魚，先結網
要打豺狼先磨槍
網還沒結緊
槍還沒磨光

〔13〕

誰說魚兒會漏網

你會給那豺狼飽肚腸

我們的排長不上這種當

今天一天東村跑，西村跑

打是大概打聽出來了

軍機該秘密

捉漢奸那好叫人人知道。

排長不回答那個下梢

反將下梢來把同志們都考一考。

有的人是猜錯了

有的人猜中一半

　有的心裏明白

　口裏不敢說出來

　因爲他怕人家批評他

　講他「爲什麼在先隱瞞」

　最利害是怕人駡：

　「某某同志，客觀上是幫助破壞，」

　「某某同志，客觀上是幫助漢奸！」

〔14〕

山多出猛虎
茅舍出奇才
當中有一人
他的名字叫韓娃
他是我們自衛軍的旗手
他也不是不怕別人「罵」
只要人家罵的很恰當
却能把那罵話當好話

他先舉出種種可疑的事實
再發表他個人的見解
最後才下了一個鐵的判斷
這判斷，好比天外飛來一座山
叫人想抬不能抬
要推翻，無法推翻

他說「王三是去做土匪
　　　引誘王三的
　　　一定是漢奸托派！」

〔15〕

有人問「馬福川也有漢奸托派？」
他說，「上次我做工會代表到延安
　　我得見總工會的主任齊華。
　　齊華同志說——
　　有一天，延安城中放警報
　　抗大的英雄們眞快
　　一下子就跑進防空壕
　　那知一個防空壕中早埋有炸彈
　　一炸把兩個人也炸死了——
　　　　那還是我們的延安呀
　　　　漫說這個馬福川」

排長也抓緊了這個問題
　說明漢奸的利害。
　他說——
　造一座鐵橋多麼費勁
　費了多少的工程
　　　多少的年月
　　　死了多少人
　　　多少人爲它殘廢

陰謀破壞它
只要幾個人
偷偷的去拔下幾顆帽頭釘
你有車子也就不好行
如今的托派漢奸土匪們
　就是這種偷偷摸摸的拔釘人
那鐵橋，就好比我們的抗日根據地
我們自衛軍是保衛鐵橋的哨兵

從這馬福川
過去便是喬麥川
喬麥川屬友軍管
原來土匪就常常活動在這兩交界
自從日本鬼子佔太原
這個兩交界
有幾次，已經發現了漢奸和土匪的勾結
「同志們，日本人爲什麽要收買土匪漢奸?」
排長問，排長又自己回答：
「一個炸彈要值幾千元
　幾千幾萬個炸彈

〔17〕

幾千萬萬元。
使用漢奸多合算
它破壞了我們今年的春耕
我們的損失上千萬
日本人的花費不值幾個炸彈錢」

後來社長又講到軍事方面
他一邊講，一邊畫
　畫圖用脚尖
他說日本人第二期的作戰計劃分兩面：
第一面
　是要打通我們的津浦綫
　　　截斷我們的隴海路
　　　奪取我們的潼關，西安
　使我們的西北和我們的東南分裂
　他好進攻我們的武漢，佔領武漢。
　同時要將我們河東的軍隊
　　　　　　　逼過河西來

另一面——

〔18〕

是包圍我們的西北
進攻我們的邊區
佔領我們的抗日根據地

這時節，不但徐州和潼關萬分吃緊
邊區也就很危急：
日本已經從那包頭下草地
從那寧夏邊境攻鹽池
三邊、神(木)府(谷)一帶有戰事
每天隔河炮打宋家川
宋家川離延安才不過二三百里地

馬福川，離延安
走起來，要十日
但這馬福川在環縣境
環縣地方靠鹽池
鹽池有危險，
馬福川將成戰區
馬福川是交界地
馬福川的自衛軍是一刻也不能有疏忽的

〔19〕

馬福川的自衛軍是一刻也不能有疎忽的
天色晚
排長將哨位分派
韓娃是排長眼裏的奇才
韓娃今晚一派派到馬福川口外

第 三 章

韓娃爲人强似鋼
　打起來
　噹噹響
　用起來
　硬邦邦

韓娃鋼中也有鉛
　鉛性軟
　打不斷
　鉛性有如相思調
　相思調子好纏綿

〔20〕

你敬他一大姆指
他敬你一丈
你把他按在地上
他一輩子也不和你來往

今天，李排長敬他一丈
還派他一個頂重要的哨崗
他是一輩子也忘記不了李排長

他原是一個傭農
　曾分得土地三晌
　為保護手中的一點利益
　也為着抗日革命潮的高漲
　打日本，勇敢上戰場
　他和我們邊區農業工人們的想法都一樣
王三本是鄉中小流氓
王三的想法和他不一樣

一更天

〔21〕

月兒照在他的矛子上
矛子尖端閃白光
閃光隨着韓娃走
韓娃提着矛子一路走來一路唱
　　　　　　一路走來一路唱

他唱「走路要往大路走
　　　大路人來往
　　　小路多賊寇」
他想他是來放哨
　運道好才遇賊寇

不覺走到馬福川口了
他閃着圓圓小小
可是滿有神氣的眼光
向那四方八面搜着搜着瞧
瞧罷了又側着耳聽：
五里外有荒村狗叫

我們放哨的

走到哨崗上
責任心要重
警覺性要强
眼觀六路
耳聽八方
自己不上敵人當
還不叫敵人漏網

他選擇了一個地方
那地方，在路傍
路是狹窄的
只容得兩人並肩來往

他站在左邊路傍
他可以遠望
又可以隱藏
他能隨時跳出來
　襲擊對方
對方却不能够一下子
　闖到他身上

〔23〕

月有光
山有陰
正是一幅濃墨畫
只不見有畫中人

韓娃的濃眉如戲條
　臉上的絡腮鬍子如刺
　他比排長更高更結實
這樣畫不在畫裏
我們只好把他唱成歌兒寫成詩

　二更裏
　月色分外清
　多一陣
　不見有行人
　他想吸袋煙
　　吸袋煙來好解悶

　他掏出煙袋

〔24〕

裝上煙
要擦火
却怕火柴光被敵人發現

他把紐扣兒解開
他灣下腦袋
　在懷裏擦火
　吸起煙來

煙斗子冒火又怕人發現
脫下帽子來
將煙斗包圍

不妨晉工作
吸袋旱煙算什麽
有些人是吸起煙來好工作

韓娃吸罷煙
正將煙管插進袋
啊——啊，

〔25〕

遠遠的路上，
他發現
有兩個黑影
一前一後的走過來

他沉着的，輕輕的邁上一步看，
緊緊的握着矛子桿，仔細看：
那兩個黑影手中好像有短棍
看不清，有沒有手槍別在腰間

那黑影已經越走越近，越來越近，
近到只離他的哨位十來步
他猛然
大喝一聲——
「口令！」

好比手溜彈
這猛然的一聲
也好像地震
使敵方立脚不定

〔26〕

退不能
前進也不能
不知怎樣回答還「口令」

韓娃再追問一聲
「口令！」
那兩個黑影仍舊不知怎樣回答還「口令」。

韓娃的喝聲
不像在高山打鼓
像在羣崖之間打炸雷。

他又喝——
「站住！——
什麼人？」

前頭那個黑影比較有分寸
他回答：
「是——是兵，是兵！」

〔27〕

他們不知韓娃這裏藏着幾個人
韓娃手中有槍無槍他們也看不清
他們一來就有幾分怕盤問。

後面那個黑影好像要逃跑
不敢就逃跑
是怕後面有槍聲

路是狹窄的
只容兩人並肩行
路是狹窄的
一粒子彈可以打穿兩個人

韓娃在估量：
　他們也許當過兵
　現在却不會是兵
　眞是兵來那怕人盤問

他們有點像逃兵
前頭那個像五分

後面這個一分也不像

韓娃的經驗
幫助了韓娃的聰明
前幾天，他曾盤問
友軍區來的兩個逃兵
那逃兵的態度開初很頑強
一點也不服我們自衛軍的盤問
自衛軍在那逃兵的眼裏
不過是手提着矛子的老百姓

這兩個黑影
一定是土匪——
韓娃很快就能下斷定

斷定是斷定
「武斷」就不行
昨天的情景
不一定合今天的情景
韓娃爲人有果斷

〔29〕

他知道隨機應變
　還能夠處處留神

他不要吃眼前虧
更不要放鬆敵人
他是一個人
對面是兩個黑影
前頭是一個粗壯的黑影
　叫他難放心

韓娃乘他們胆戰心驚
　逼他們——
　　「放下棍子！」
　　「轉過身子！」
　　「兩手兒往後背起！」

他們摸頭不着腦
想不透韓娃的高深
也是「光棍不吃眼前虧」：
　好好的放下鞭子

〔30〕

轉過身子
雙手兒往後背起

韓娃自己也覺得希奇：
他今晚的命令
有無限的威力
黑影像犯人
他像法官
黑影像瘟猪
他像天神

本來也不算希奇
他的「口令」
關係邊區的安危
他的命令
不但代表自衛軍
代表老百姓
是代表一個戰鬥民族的聲音
他的一根鐵矛子背後
站着四萬萬以上的中國人

〔31〕

他跟着盤問：
「來幹什麼的？」
黑影回答：
「是來買柴的」
這回答雖然是戰戰兢兢
這個回答一點不遲疑
分明是早有準備

韓娃當然不相信
不相信也繼續發問：
「是那裏的部隊？」
前頭那個黑影搶着答
他怕後面那個露馬脚
他說，「是江師長的部隊。」

韓娃一步追着一步問
一問更比一問緊
問答如兩軍對壘
該前進就要前進

「是江師長的部隊？
　在什麼地方駐紮？」
「在[illegible]麥川駐紮。」
「爲什麼不帶徽章」
「沒有帶徽章」
「帶路條？」
「來買菜，忘記帶路條。」
「帶有介紹信？」
「不帶。」

「那末你們一定不是好人了。
　不是好人
　帶把鄉政府審問！」

這是韓娃的聰明
也是韓娃的愚蠢
說他們不是好人
　又說帶他們到鄉政府去盤問
除非你有完全的自信

〔33〕

自信你可以强制他們

一人帶兩人，怎好帶，
他們不是兩個死豬猡
讓你將矛子穿在中間
你--挑便挑在肩上

說他們不是好人
嚇壞了他們
也激動了他們
他們求命不得命
他們就會和你拚
韓娃防備黑影和他拚
韓娃不是孫猴子
拔根毛兒可以變自己
他想先殺掉一個
帶一個活的回去
死的明天來收尸

但是韓娃也有點遲疑：

〔34〕

　　罪人不經過審判
　　如何能將他殺翻
韓娃曾經殺過人
韓娃從來不敢這樣便殺人

事到臨危須放胆
事到臨危應該早早下決斷
韓娃在那半分鐘以內
偏偏決斷不下來

那時好像天開眼
一個老人走出來
老人拿着拐杖指一指
韓娃猛然想起了老人的告誡：
　「你不打狠狠吃你
　　你不殺敵人
　　反受敵人害！」
韓娃這才舉起矛子來

韓娃剛剛舉起矛子來

〔35〕

韓娃的心思又突然改變
「事事總要辦週全」
這是韓娃的習慣
誤殺人，他不願
是漢奸，他願得活捉兩個漢奸

他不但不將矛子扎過去
反使用一種溫和的言語
這種言語好像滾油湯
　熱烈在心裡
　溫和在面上

他說，「我相信，你們來，是買菜。
　　　　怪只怪你們的長官
　　　　不給你們帶着路條來。
　　　　也難怪你們的長官
　　　　忙到前線去抗戰
　　　　事情本來很麻煩

　　　　「你們既是兵，

該知道哨兵的責任
請不要怪我
我不是和你鬧玩」

他打定主意：
　要叫一人在先走
　走了幾步後
　再叫一人走
　他跟在後頭

這樣走，他可以打破兩人的同謀
他們和他拚
他就是從這後面一個先下手
一人對一人
他可不用愁
那個要逃跑
至少當中一個跑不掉

那知他叫前頭那人「開步走」
那人不但不走反退後

〔37〕

這個當兒退後爲的什麼呀？
不是怕，便是起了壞念頭

黑影何嘗不在打主意
　「三十六計
　　走爲上計。」

韓娃事事要週全
　不能週全，不能週全
　只好抓緊那最重要的一點

韓娃舉起矛子要下手
看呵——
　早見一個大黑影
　飛落在兩人的背後

那個大黑影子當時喝：
　「那裡走！」
他兩人，好比黑松林中遇李逵
　　　　　　　嚇得屁滾尿又流

〔38〕

大黑影身傍
飛起了一片刀光
黑影與刀光
橫檔在路上

他兩人，很奇怪
以爲這個大黑影
原來就與韓娃在一塊
那知韓娃也奇怪
不知黑影到底飛從那裡來

韓娃聽得那聲喝
腦中打起一個大波浪
浪頭上帶着驚惶
浪尾上是李排長

他何等愉快
他正感覺到一人的勢力孤單
萬不料有他崇拜的人來

[39]

幫助他解決困難

他也有點覺得不滿足
假使他崇拜的人物
看他把個困難的問題完全解決了
解決了，才出來，
那他不知要怎樣的愉快

說起來，排長何嘗沒有暗中看
排長已經看了好半天
假使韓娃無危險
　又能把事辦週全
排長正好不忙跳出來——
要明白一個同志的忠實機謀和勇敢
最好是暗中調查暗中看

路見不平也拔劍
　同志遇危險
　事情難週全
排長那能不出來

〔40〕

排長來查哨
已經查了好幾哨
韓娃的盤查本事特別高
排長也在崇拜韓娃了
不過排長沒有講出來
韓娃不知道

前無路，後無路
矛子刀光下
綁起了兩個奸徒

第四章

綁起了兩個奸徒
一帶帶到鄉政府
開初他們是含含糊糊，吞吞吐吐
「吊起來！吊起來」
一部實情全吐露
他們並不是什麼江師長的隊伍

〔41〕

他們是和苗鳳樓一道的漢奸匪徒

向他們，問王三
王三的下梢也完全明白了。
韓娃的那個判斷
原來就像天外飛來一座山
叫人想抬不能抬
要推翻無法推翻
今晚，他的判斷已經成鐵案
當時有同志偷偷的看了韓娃一眼
表示敬愛，也表示羞慚
韓娃這時候反而有一點忸怩怩
忸怩像被羣衆歡迎的一個小孩

一個匪徒還說呢：
他們是受王三害
不爲王三，
　　他們今晚不到馬鬍川上來
他們一來做偵探
　　二來是收買王三的幾個「鬧件」

〔42〕

問道王三如今在那裏
他們說，王三如今也沒有得意
他被苗鳳樓關在一個土窰裏
苗鳳樓恐怕他還有點虛情假意，
恐怕他是自衛軍故意派去的探子
要等這兩個奸徒「成功」回去
才相信王三的投降是實實在在的
年長的那一個匪徒
他也胡亂栽誣
他說誰是王三的拜把兄弟
　　誰又是王三的什麼親戚
恰好傍邊有一人被他胡說
那人一拳頭
　打落他門牙兩顆

鄉政府的審問完畢
當夜帶交縣政府
馬福川離縣政府
還有四十幾里路

〔43〕

送到時，已是五更初

第二天下午
八個區的人都來參加了
一千多男男女女
公審兩個漢奸匪徒

三十幾歲的那個
眼睛紅，橛子兒
二十三歲的那個
臉慘白
低着頭
像做夢

『要殺就殺
　要打就打
　不殺不打
　送到前線去抗日』
說這話的人
　就是粗壯的那一個黑影

〔44〕

和三十幾歲的一個壯丁

凡是中華民族的兒女
羣衆沒有不望他抗日
只有這兩人
羣衆說：
「送到前線還是搗亂的！」
羣衆都要求槍斃
漢奸土匪的末路是槍斃
還有人主張殺頭
有人主張用矛子將奸匪扎死
在「打殺漢奸」的一片歌聲裡
說「奸匪到頭是槍斃」
不如說「奸匪被羣衆活活的恨死」

歸來了，歸來了，
八個區的自衛軍
八個區的男男女女
勝利的歸來了

× × ×

〔45〕

我們自衞軍的旗手(韓娃)
高舉着自衞軍的旗幟
我們自衞軍的排長
喊着「一二三四——二二三四」
我們自衞軍的全體同志
眼裡飄揚着那勝利的旗幟
跟着喊「一二三四——二二三四」

我們的老百姓
歡迎着我們的自衞軍前進
眼裡也飄揚着那勝利的旗幟
心裡跟着喊「一二三四——二二三四」
我們的軍民都是英勇抗戰的
我們裡面不容有個壞分子
我們軍民一致「一二三四——二二三四」

我們自衞軍的任務何等重大
　　保衞邊區
　　保衞抗日根據地——

〔46〕

保衛西北

保衛全中國

爲爭取我們的最後勝利

我們前進！「一二三四——一二三四」！

五一節前夜寫畢

〔47〕

游擊隊像貓頭鷹

游擊隊，游擊隊，
白天隱，夜裡行，
白天隱，夜裡行，
游擊隊像貓頭鷹，
　　像貓頭鷹。

游擊隊，貓頭鷹，
釘着鬼子們走，
追着鬼子們行，
乘鬼子們不備，
打擊鬼子們！
打擊鬼子們！

正月裡，正月正，
一隊游擊隊，
釘着鬼子們，
追着鬼子們，
釘着釘着，
追着追着，追到這山林。

正月裡，是新春，
新春有個「一二八」，
紀念「一二八」，
游擊隊決定：
在今夜三更
襲擊對面那座馬家村——
馬家村有日本鬼子一聯隊。

三更，三更，快到三更
除了微微的風聲，
滿天星星，透過松林，
閃着眼睛，閃着眼睛，

〔50〕

靜悄悄的　靜悄悄的，
等待着襲擊的命令。

三更，三更，快到三更，
忽然間，有鳥鳴三聲
（xyxy—xyxy—xyxy—
這是隊長的號令）
什麼都緊張起來了，
最緊張的是本地姓馬的幾個農民：

他們的曾祖馬鳳林
到這荒地來開墾，
後來才有這個馬家村
如今的這馬家村，
已經不能再有一個馬家人，
逃不了的馬家男子被殺了，
跑不了的馬家婦女被姦淫；
今晚夜，他們要在祖宗的墳地上，
趕走這批鬼子們！
趕走這批鬼子們！

〔51〕

三更，三更，已到三更，
又聽得幾聲鳥鳴，
(BuBu —— BuBu —— BuBu ——)
游擊隊，
不哼氣，
不着聲，
走—— 閃起貓頭鷹的眼睛，
　　向馬家村前進！前進！前進！

他們分一隊到馬家村北擾亂去，
　　分一隊向馬家村南面襲擊。
　　村南比村北稍稍的空虛，
他們乘虛便一直殺進村子裡。
　　日本兵往村東逃跑，
　　在村東，又中了他們的埋伏計。
　　…………………………………

哈哈，好卑怯的日本兵啊，
　　好卑怯的日本兵，

飛機，大炮，坦克車—沒有效力，
日本兵便立刻喪失了戰鬪的勇氣，
像烏鴉，烏鴉遇見貓頭鷹，
　　　　烏鴉遇見貓頭鷹。

正月裡，正月正，
「一二八 紀念的襲擊完成，
（二月，三月，四月，五月，…………
月月都有新使命。）
游擊隊，又起程，
白天隱，夜裡行，
白天隱，夜裡行，
游擊隊像貓頭鷹
　　　像貓頭鷹。

1938,1,26,延安.

平漢路工人
破壞大隊的產生

柯仲平 著

讀書生活出版社（重慶）一九四〇年六月出版。
原書三十二開。

平漢路
工人
破壞大隊的產生
大衆藝術叢書
柯仲平作
讀書生活出版社經售

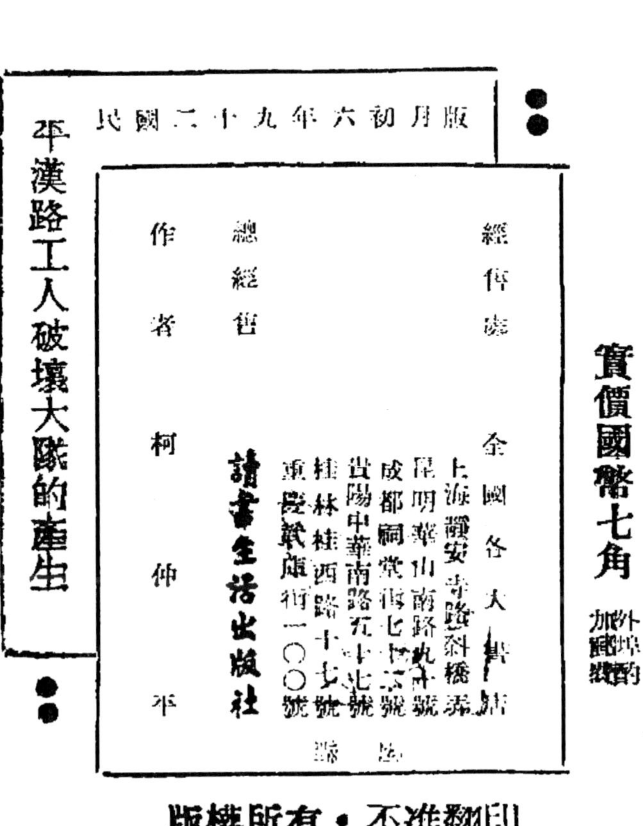

民國二十九年六月初版

平漢路工人破壞大隊的產生

實價國幣七角
外埠酌加郵匯費

經售處　全國各大書店

上海靜安寺路斜橋弄
昆明華山南路九十號
成都祠堂街七十[illegible]號
貴陽中華南路五十七號
桂林桂西路十七號
重慶武庫街一〇〇號

總經售　讀書生活出版社

作者　柯仲平

目　　錄

自　　序
前　　記
(1) 鄭州車站
(2) 等老劉
(3) 小黑炭放哨
(4) 老劉催名册
(5) 團結起來
(6) 破壞隊產生

自　　序

艾思奇同志叫我把『平漢路工人破壞大隊』第一章和幾篇短詩合起來，印一個集子。在延安，好容易找到兩期『文藝戰線』；這太珍貴了，不能把自己的詩撕下來，只好由我們民衆劇團的小同志們幫我抄下一份。

仔細地讀了幾遍，修改了印錯及我自己疏忽了的幾個地方。

中國工人階級的發生和成長，是近代的事。中國工人作家到將來也一定會產生許多。當我寫『破壞大隊』的時候，我曾這樣想：『你看，我用的言語，是每一個工人都能聽懂的言語吧。不要說你們不能夠創作，工人同志們，只要你學會使用文字，你一定可以比我寫得好，並且會好過許多倍。因爲你們的生活比我更實際，你們使用的言語是更豐富，更生動的。看了或是聽了我寫的東西，可以提高你們本身的創作的自信力吧。你們的自信力是漸漸提高了。你看，平漢路工人，要是沒有自信力，怎麼能夠組織起這個英勇的破壞大隊呢？………』

剛寫完第一章，我便帶着民衆劇團下鄉去了。以後有空，我要繼續寫下去。這長詩的主要缺點，是我沒有直接參加破壞大隊的工作，有很多應該表現出來的地方，我不能表現出來。我希望能夠再見到參加這工作的同志們，那怕再見到一兩位也很好；讓我多知道一些你們的行動！我可以寫工人，是因從前我有一時很接近工人。然而這還是很不夠的！

此外的幾篇短詩，表現了邊區的一部份特點。其中有『贈愛人』一首，比較是舊作；但在任何時我唱來都很有味。

一位從沒有見過面的朋友——薇荇先生，他從柳州寄來一封信，說：『拜讀了平漢路工人破壞大隊的產生長詩後，內心里不自主的嘶喊！呵！這才是今日迫切需要的詩歌！』我決不是要把他的話抄出來，有意抬高這章詩的價值。

一篇詩的優劣，也決不是從一個人的讀後感想就可以評定下來，應該從一時代的多數人那裏去找評定。不過，用長詩來表現工人集團行動的作品，在今天的中國，這許是第一次，因此，我有意把這位讀者的讀後感寫出來，好做別人的參考。他讀的很仔細，指出了一些錯落的地方。讓我在這里敬致感謝！

上　　部

平漢路工人破壞大隊的產生

前　　記

平漢路工人破壞大隊的同志們，曾把他們這段艱苦光榮的歷史告訴我，並且要我把他們這段光榮歷史寫成一篇詩。這同是因爲『文藝戰線』要出版，從楊同志催我寫一篇長詩，同時，也以印廠同志趙鶴，勸我不要整天忙事務，應該抽空多寫點東西——我才決定開始寫這部長詩。

現在只寫了第一章——破壞大隊的產生。以後還要寫四章，可是因爲太長了，不易在刊物上發表，我就先發表第一章。將來可以另出單行本。

開始讀起來，聽起來，覺得有些枯燥，那是由於我的手法還不高明。可是我現在覺得那是不可避免的。像唐揚同志就說，一次不能把一章登完，可是後兩段是很使人感動的！

我寫時，因爲太忙，太急於寫成——你看，十一月二十早晨，我請人把我的房門像前兩天一樣地反鎖着，我在裏面寫，忽然空襲警報的槍聲響了，飛機的聲音也聽見了，我才趕快請人爲我開門，拿着這篇詩稿跑，沒有跑出幾步去，已經聽見炸彈投下了。後來，我爲使這作品稍爲完整些，我已花幾天工夫，讀了又讀，增刪又增刪，以後有機會朗讀給工人同志聽，得工人同志的幫忙，一定還會有很多地方要增刪，古代的史詩就是從一次次朗誦中增刪好的。

一九三八，十二，十二。

一　鄭州車站

十二月——一九三七年的十二月，
有幾天幾夜，
在鄭州車站，
如有隴海車西開，
　　平漢車南來，
　　你大半只見傷兵，
　　官吏和官吏的家眷。

恰恰地相反：
你見平漢車北來，
　　隴海車東開，
　　那大半是開到前方的戰士，
　　糧秣，大砲，子彈。

—4—

『又不是客車，又不是客車呀，………』

千百個難民，

失望地楞着眼睛，

擠，擠，擠——擠不進去後，

長嘆一聲『唉！』

有錢的再回小旅館去等，

腰包空了的，

　　徘徊一陣，

　　還是靠着行李打瞌睡。

謠言多極了——

有的說，敵人已經佔領石家莊；

有的說，我軍已經退出太原城；

有的說：

　　某某司令老早就不在南京。

有的人又說：

　　日本便衣隊，

　　已經到黃河北岸？

　　他們有一種橡皮小船，

——5——

只要用飛機大砲掩護，
立刻可以搶渡到南岸，
你看鄭州是多麼危險！
因此有的逃西安，
逃武漢。

武漢西安不保險，
有人決意逃雲南。
聽說『雲南四季無寒暖』
隔敵人幾萬重高山。

有一種謠言又恰恰相反——
他說『住在鄭州很平安，
日本決不打鄭州，
你看抗戰快半年，
日本的飛機，
還沒到鄭州下過「蛋」。』

每一種謠言，
都像傳染病，
傳不到幾天，

—8—

一個地方都傳遍。

你反對謠言——
你說『應該保衛鄭州呀——
日本飛機昨天還去炸洛陽，
今天又去炸鞏縣，
鞏縣離鄭州不遠。

漢奸就暗暗地和你搗亂——
他說：「炸洛陽，
因爲洛陽有飛機場，
炸鞏縣，
因爲鞏縣有兵工廠；
那和鄭州完全不一樣。

漢奸目的在搗亂——
不是叫你覺得很危險，
就是叫你覺得很平安，
危險叫你跑，
平安叫你什麼救國工作都不幹。

—— 7 ——

像這樣巧言花語，
比得上日本幾百架飛機，
飛到鄭州人的心窩裏，
散放毒氣！

中國兵書說得好：
『你要攻打人的城，
最好先攻人的心——』
日本飛機大炮狠，
最狠也是利用中國法
泡製中國人！

可是他不能攻破，
我們中國工人的這個鐵壘，
他泡製不了
我們民族的抗戰決心！

交通是戰爭的脈絡，
鐵路是最敏感的神經，
有什麼戰爭的消息，
你能騙過最靈的傢伙，

趕驢趕馬的弟兄，
你可騙不了我們鐵路工人，
何況鄭州是平漢隴海的中心，
我們平漢路工人，
自從一九二二年，
反對吳佩孚的『二七』到現在
曾有過很多頑强的鬥爭！

二 等老劉

我告訴你們，
平漢路工人，
已經開始組織武裝部隊。
發起組織的，
就是那個李猴子——李阿根。

今夜晚不比平常，
也沒有車來，
也沒有車開，
如有第一次看見火車的老百姓，
他們一定說：

『看啊！一串串的，
像一條條的死蛇
一輛輛的
像一個個的死烏龜！』

今夜晚，
天陰，風冷，
怕有飛機來夜襲，
車站上只亮着幾盞電燈，

平漢工人李河根，
他帶着八個兄弟，
走過那昏沉沉的車站，
踏過那冷冰冰的鋼軌；
他們大半都是縮手縮脚的，
有的手，插進大衣裏，
有的手，左右交叉着，
攏在袖子裏，
只有一個王小五，
夾着一條四尺長的鐵搖棍。
他們個個口上冒熱氣，

像是剛剛開出站的火車。

他們走進一家小酒館，
『哈哈！來了！
樓上有座，樓上有座！』
歡迎他們的是堂倌。

上得樓來——
『好冷的天氣呀………
還是涮羊肉好嗎？』
問話的又是堂倌。

阿根說：
『請你等一等吧，
先把兩張桌子拚過來。』
『還有客嗎？』
『還有，客一會就來。』

涮羊肉是決定了。
不要問幾盤，
各自去切來；

——11——

俺工人不吃就不吃，

吃起來，都很痛快。

有一個青年的工人，

人家叫他『小黑炭，』

是一個眼疾手快的小伙子，

他低聲問：

『阿根——今晚不要放哨嗎？』

阿根皺着眉頭想一下，才回答：

『有老劉參加會議，

這會議差不多是完全公開的，

——可是兄弟你去吧，

萬一——是謹防萬一！』

小黑炭又低聲說道：

『我想你再派個人，

站到那窗子面前——

見我在馬路對面，

連擦兩根火柴抽香煙，

那就是有了五分危險；

你們應該趕快吃起來。

—12—

聽得一把小石子打到窗前，
那是八九分危險，
你們趕快準備走，你說好嗎？』

阿根，他用老大哥的口氣問，
『好。還很好。
我們就照這樣辦。』
黑炭想轉身，
阿根又說道：
『要沒有什麼危險，
吃飯定要等到老劉來。
老劉到，你可以打轉。』

黑炭說：
『算什麼呢——
我到樓下先吃兩碗麵。
你們有命各自開。』
他說的非常堅決又慷慨，
那一種熱情，
也眞像燒紅了的一塊煤炭。

——13——

大家有點怕出事，又怕羞，
有的人還抖起來，
可是小黑炭，
已經走到樓下去叫麵。

阿根想派王小五站到窗前，
却怕他要開玩笑，
又沒多大的經驗，
就惹了惹出禍來。

他另派一位銅匠——
這人有虎背
面孔方方，
『三錘打不出兩個屁響，』
嘴像石頭一樣。
可是你把一袋米請他收藏，
他不會動你一斤半兩。

沒有派上王小五，
他暗暗高興，
却也有些不舒服：

—14—

因爲你看派誰做什麼，
你就能看出，
相信這個人到什麼程度。
可是『阿根派黑炭，
　　他不派我王小五！』

王小五要掩飾心的不舒服，
故意呆呆的瞅着阿根，
阿根恐大家担心過度，
他給王小五說笑：
　　『小五你還看不夠嗎？
　　我不像你有塊蠶豆臉，
　　你看，我的額頭寬，
　　眼睛凹，
　　下巴尖。
　　你又叫我猴子？
　　猴子是你的祖先。』

王小五做個猴子臉，
他不必宣傳——
『看！阿根，你看你祖先！』

堂倌上樓支鍋子，

支好又下樓去了，

王小五，要表示他很有勇氣，

他說；「奶奶的！

　　能吃一餐吃一餐，

　　游擊隊，幹起來，

　　那來羊肉片你涮！」

火鍋水

　　「嘍嘍……」

炭星子

　　「鐵鐵鐵」

火鍋子週圍

　　擺滿了紅鮮鮮的羊肉

　　　　白森森的葱頭

一盤盤，一碟碟，一碗碗，

蝦米，辣椒，蒜，

白甜醬，醬油，醋，

此外有兩壺白干。

當中有一位姓萬的，
他老是板着一付苦臉，
他原來在平漢路北段；
北段失守了，
他往南段行，
但失業，家小還在長辛店。
不用說，他心裏十分熬煎。
可是他口流饞涎，
　　一時忘了家小還在長辛店。

也不是阿根沒有流饞涎。
有人動筷，
他卻要勸解：
　　「請等一等老劉吧，
　　老劉也是一個發起人，
　　沒有他來事情不好辦！」

王小五，青年人，
嘴總是不乾不淨，
阿根的主張他並不反對，

——17——

可要錢牛驢：

『我說，那老兒不來，

讓他不來好了。

吃我們的吧。

奶奶的，三天三宵不睡覺，

修，修，修，

總得修！

叫你到那裏，

你得到那裏，

黑天就黑天，

白天就白天，

誰說多會起，

多會就得到——

「上面的公事要緊！」

老劉，那禿子，

那老母猪一樣的東西，

火燒眉頭，

他還思前又想後。

吃，好好吃兩餐，

　　吃了我們走，

管他媽的老劉不老劉！』

——18——

王小五傍邊，

有一位高高瘦瘦的麻子，

他在抽香煙。

本來他對老劉很不滿，

前幾天，爲老劉，

他曾和阿根爭辯；

他說老劉是壞蛋。

王小五故意拍拍麻子的肩：

　　『麻子你忘了嗎？

　　老劉他和你是有點「幹嗎」哪！』

王小五說罷，

　　看一看阿根，

　　吐一下舌頭，

表示他只在鬧玩，

決不是挑撥離間的壞蛋。

麻子冷笑一聲：

　　『嘿！』——『嘿！』

—19—

他分明想起這樣的一回事：

兩年前，有一次，

是在一個站上，

當着麻子開車快要進站時，

老劉搖幾下紅旗，

叫他馬上不要開進去——

因爲從相反的方向

就要即開到的是一趟快車。

那快車，已經離站不多遠。

不過因爲小站左邊有座小山，

山有拐，

快車雖然已經到拐灣，

沒有出拐灣，

　　你看它不見。

　　到你能看見，

　　它的頭已開進火車站。

當天麻子有點病，

是它頭昏眼花吧：

　　紅旗搖再搖，

　　他不曾看見。

他還一直開着機車進站來。

老劉着了慌，老爹氣急了。

　　也許還能趕上再搖幾搖吧，

　　他不搖，卻把紅旗往那鋼軌上一扔！

小子滾着紅旗進站後，

險些兒有火車頭碰口。

車不曾碰頭，

　　是因對面開車的也是老手。

站長叫麻子去問——

這問什麼呢？

那軋壞了的紅旗本身，

　　就是你不能反對一個證人！

可是，麻子回答王小九：

　　『你想我恨老劉？

　　我恨他，只為有私仇？

　　你這王小九加　，小王八，

　　假使你明天變成走狗，

　　我恨你，也像恨老劉！』

王小九再要開嘴

另一位頑皮青年搶得講，

他拾起一節蔥頭，

——21——

　　望着小五臉上打，
打時喊一聲：
　　『打你個小走狗！』

王小五，手也快，
他接過葱頭，
　　一塞，塞進口，
他還嬉皮笑臉地說道：
　　『謝謝你，
　　你這個走狗！』

堂倌來添炭：
　　『先吃吧，有客來，
　　客來再添茶。
　　萬一有車到，
　　你們又是吃不開！』

阿根很客氣地應付堂倌：
　　『請把炭把水壺擱下，
　　我們會自己動手，
　　勞你駕，你下樓，

老劉來，你說我們久候了。』

『不說不笑，
不成世道，』
小五拉着堂倌問：
『有連老劉都不知道？』

堂倌原是北平人
可也夠俏皮：
『得啦——不認識老劉，
還能算個老鄭州？
他知道平漢路有幾條枕木
好比我知道鄭州有幾家酒樓。
看你今年不過二十三，
老劉，他在平漢路
可有二十四五年之久。
我小子不才，
却也十幾年來混事在鄭州。』
他說吧，『哈哈哈』
一笑走下樓。

—23—

在這種時候，
言語不敵酒味香，
精神不比物質强。
　　有酒不得喝酒，
　　有肉不得吃肉！
不講什麼開會不開會，
只爲吃，只爲吃，
　　誰也不滿意老劉。

阿根又何嘗滿意老劉，
不過他不隨便說出口。
他想到老劉的壞處，
也想到老劉的好處：
　「他在登記吧，
　不知登了多少人——
　只要他肯幹，
　不愁沒有人。
　要把他的人，我的人………
　混合起，編成隊，
　這才好影響他們。
　………………………」

沒有誰和阿根講話時，
阿根他和他自己談心。

可是他也不願大家閉着嘴等人，
嘴邊有東西，
不給他講，又不給他吃，
他閒着沒趣，
　　就會叫你心裏很着急。
說一陣，笑一陣，
好像一陣浪潮過去了，
座上靜悄悄，
看着酒肉不好動，
更是無聊！

　　到底老劉來不來？
　　有的說『大概不來了』
　　有的說『也許會來』，
　　這都是一陣亂猜——
　　希望馬上動手的，
　　就說是『大概不來了』

——25——

也想馬上吃，
又看阿根情面的，
就說是『也許會不』。

爲老劉，
在阿根與麻子中間，
引起了一場舌戰：
阿根說：『我想他一定會來——
我找過他一次，
最後一次他決定幫我們登記
在這兒開會，
還是他親口答應過我們。』

麻子却在傍邊一聲『嘿！』
這個怪像傢伙，
他不同意你，
他給你冷笑一聲，
往往『嘿』過了，
又不言不語。
假使你的火氣重，
會叫你氣破肚皮。

阿根聽他『噢！』一聲，

不見有下文，

阿根火氣沒有那麼重，

他是這個會的發起人，

他能和和氣氣的發問：

『麻子，你還是不相信老劉嗎？』

麻子回：

『嘴這種東西

牠會吃酸，

也會吃甜，

他會負責任

也很會欺騙！』

阿根又追問：

『那麼你想他是不會[illegible]我們嗎？』

阿根不等麻子答，

又自己對大家說了：

『我們兄弟們！

——27——

不祭東風，

怎能破曹？

要娶孫夫人，

還得借重喬國老。』

王小九假裝正經，他插嘴：

『那老兒不像東風，

可真像個喬國老。』

其實阿根的用意在那裏，

他還不十分明瞭。

（麻子老萬們明瞭，

也不是透底明瞭。）

阿根又說道：

我們要燒一鍋人雜碎，

要燒就燒它十全十人：

沒有肉，不甜，

沒有鹽，無味，

還不能少白開水。

『鹽雖要，

白開水也需要，

沒有這般東西，

大概會就會不了！」

　　老萬點點頭，

　　他是失業的，他想：

　　「我是一味苦菜吧！」

麻子想開口：

「你要鹽，

也得要油，

你要白開水，

還得割些肉；

那樣看重白開水

你不怕肉麻!?」

　　任你阿根會說酸，會說甜，

　　麻子有成見，

　　他偏偏要說：

　　「北伐後的老劉，

　　做過走狗。

　　讀你游擊隊，

根本不該要老劉。』

後來他又說：

『如有我在，

他就不會來。

我是因為有你阿根在，

我不好不來。』

阿根追問他：

『你爲有我在你來；

他不會因有我在，

他也來？』

臉子不甘心辯論失敗：

『嘿！他來不來，

和我沒多大相干

可是你得當心，

不要被他出賣，』

阿根本想說：

『我會當心——

—30—

好人也能變壞人，
何況壞人剛剛變好人。』
可是在大家面前，
他不願多講老劉壞。

他停了一下才又講：
『一部機器車，
它出了毛病，
把它放進車間去，
永遠不修理，
那它只有一天一天壞下去。
要是把它拆下來，仔細檢查，
「這部車還能用呢？
不能用了呢？」
檢查後，還能用的話，
你就好好修理它，
機器太壞的，換，
只有一點損傷，
想法修好他——
你想對待老劉不該這樣嗎？……』

—31—

堂倌又上樓催快吃了

也是因為樓下客很少，

想多獻慇勤，

多弄幾個酒錢。

阿根好容易又才把他支開。

在這公開的事情，

眼要明，耳要尖，

態度上不能一點驚慌；

有時得故意說笑說謊；

一句正經話渦得來好像羊腸。

你知道，

有一些堂倌。

說話常是兩面光，

想頭也是『東方不亮西方亮。

麻子也是一個聰明人，

你若他反對老劉、

他會這樣講：

『奶奶格屄

一個人被人家捧，』

不因他有功，

這眞是光榮。

一個人被大家捧，
不因他有功，
是大家怕他把灰放縮，
這個人，可眞是，
天下最無恥的憫種！』

這傢伙他抽了一口煙。
吐了一個人煙圈
又說道，
『我聽得人說——
從前有一個總統，
革命軍打起來了，
外面有槍聲砰砰朋朋，
他卻鑽到床下去抱着馬桶。
革命軍站了上風，
人家把他拉了出來，
叫他做總統他做了總統。
這眞是天下了不起的大英雄！』

—38—

阿模怕麻子越說越兇，
叫老劉聽見，
那就會阻礙他們的行動。

阿模說：
『雖說不是呢，
天下有那樣的懦種，
也有那樣的大英雄！』

阿模覺得，
麻子的這種實話，
在從前不算無理，
今天是過於尖酸刻薄的。
他想給麻子一個批評。

可是今天的這個猴子阿模，
他要批評兄弟們，
他不是開手就給你當頭一棍——
　　他曾吃了多少虧，
　　就為這當頭一棍。
吃虧吃多了，

他知道，對敵人，
你可以當頭一棒，
對朋友，對同志，
應該用說服，
說服可是第一要耐心。

別人他有什麼對，
你應該誠誠懇懇，
在先承認他有什麼對；
承認後，
你再抓緊他錯誤的中心，
反手來給他一棍；
——這一棍，
還得棍下要留万分情，
因爲這一棍的作用，
只在提醒他改過的決心。

萬一他還死死抱着冬瓜說「硬嘴」，
你才可以不留情。
反正他已逃不了，
你又何必不多下一點說服的苦心。

——88——

這個猴子李阿根，

原來是上海的紗廠工人，

——最近七年來是平漢路工人，

他參加了不少的鬥爭，

才學會這樣婉轉曲折的一種批評。

況且好馬不用加鞭，

響鼓不用重捶，

對待這一位麻子，

那怕你抓住了他錯誤的中心，

你還不好正面上給他一棍。

接着阿根這樣說：

『我們雖然瞧不起那樣的惱極，

那樣的英雄；

可是沒有程咬金，

瓦崗寨不能成功。

程咬金有三板斧，

還不算惱種。

「少有一幫人扯我們的腿，

　　少有一幫人阻礙我們的行動，

我們爲進一丈退一步，

　　連一步也不願退讓？

　不過，話又得說轉回來——

誰也不會拿一丈和你一步交換，

還得另去想方法，

打開一切的困難。」

說到這裏，

他的前面彷彿擺着一本小冊子，

那上面有這樣一行行的字：

　　『抗日高於一切』呀，

　　『一切服從抗戰』呀，

　　『求職工運動的統一和普及』呀，

　　『工人是民族解放戰爭的先鋒隊』呀。

可是他又想起一位領袖講的話：

　　『不要死板板的背條文，

　　不要機械的解釋問題。』

——[illegible]——

他換了一種很動人的口調：

『北段丟了，

中段也快丟了，

我們的明天，

一定還更糟。

我們想——

十年來的情形是那樣！

有幾個老工人能不騎牆！

工會分裂了，

反轉來，又是

這裏一小幫，

那裏一小幫。

你怕他你就來一個兄弟會，

他怕你，多找一批人拜把拈香。

這一來，完全分散了我們工人的團結力量！

你一幫，

我一幫，

我們要打擊，

你們存觀望，

我們被人打壞了，

你們孤立，

你們不想隨風倒，

那能不驗壞！

就說「黃色工會」吧，

我們都不加入他，改變他

叫他代表全體工人的利益，

你只站在外邊罵他，攻打他。

還不是一輩子也不能把他打倒！

是的——

如今還分什麼紅與黃，

是工人的，

應該站在統一戰線上，

像火車，

火車不能站在軌道旁。

如今還分什麼紅與黃，

是工人的，
只應有一個戰鬥的方向，
像火車
火車不能同時走兩個方向。

在今天，中國亡，
我們工人也是一道亡，
有錢的，他做三等亡國奴，
工人呢，四等五等說不上！

要提高工人地位，
要求工人利益有保障，
在今天，工人當然要表示
工人的抗戰力量。』

你看李河根又說：
『我們有光榮的歷史——
二七，北伐………。
我們平漢路是鐵路大王，
在今天，我們當然要
給全國工人，

給全國同胞，
做個榜樣！
…………』

火鍋裏的水，
添了又添，
漲了又漲，
他們拉話的聲音，
該忌諱的很小很低，
不該忌諱的也很高很響，
忽然又像弦子拉斷了，
一聲不響。

在一聲不響的時候
都看一看樓窗；
等到放步哨的給他們搖手，
又才把絃子接上。

阿根喉咽那根絃子上得特別緊，
拉的話也特別長。
因爲他決不用大帽子『嚇』人

——41——

要發揮說服的力量——
說服他就得耐心，
耐心拉話沒有法子不拉長。

他也有頂大帽子，
可是他的大帽子，
是一個眞理，
不是一條鐵鞭子，
是千萬人戰鬥的一個目標，
並不是什麼漂亮的稱謂。
他不是，拿着大帽子，
跟人吹牛皮，
他是一面爲眞理戰鬥，
一面給人講眞理。

這一陣，麻子偏着頭，
抽着煙，表面上，
像是什麼感動也沒有。

可是他這麻子呵，
他在肚皮裏面給你打官司！

你講的雖然有理，

他不顧有屈服的表示。

何況事實上他已經來參加會議，

你說他反對工人團結，

有點說不過去。

阿根你講的固然有理，

不過老劉直到現在還沒來，

你的說服力量就不夠。

這時候，

在每個人的心裏，

形成了兩種相反的勢力，

一個是贊成阿根的團結大聲，

一個是贊成麻子說的——

老劉真可疑。

麻子暗暗的和阿根打賭了，

他在肚子裏面這樣說：

「我不爲修行，

我不到佛門，

他可以放下屠刀。

— 43 —

我爲何不能放下悶棍

假使老劉果然到，

你講的有理，

我做的要你驚奇！」

怎樣使阿根驚奇，

現在他是不說的。

　　他抽一口煙，

　　吐個大煙圈，

　　再吐幾個小烟圈，

　　一個圈套一個圈。

老萬也不高興老劉，

在一傍嘆息：

「唉！還有一般人，

不見棺材不掉淚，

把路走錯了，

才來後悔！

走錯了一着兩着，

不一定會輸，

可不能再錯再錯！」

麻子暗笑說：

『你也許才是那樣的傻子——』

他以爲老萬罵他，他說你。

大家又沒什麼話頭好講了，

原來肚子餓，

看着菜，不能吃，

就有些煩燥。

你看：

這也多麼糟糕，

赤衛隊的組織給他老劉公開了，

今晚在這裏開會，

他也知道。

假使他老劉真的不來，

又不幸發生了什麼好歹，

那麼，抱怨的拳頭嗎，

許會打得阿根腦花開，

縱然不打他，

他再想找人開會，

保他一個鬼也找不來。

——45——

　　有的人早已埋怨：

　　『阿根——

　　做了干部后，

　　連毛也豬？』

領導工作眞不易。

有一般動搖份子，

他乘你作事有個差池，

他就歸人你這個差池，

好掩護他工作上的取巧投機。

像這樣的份子

每個隊伍裏面都有呢；

像這樣的情形，

阿根不知遇過多少次。

不過今晚來的這般人，

還不是這樣的份子。

　　據阿根的推測：

　　這幾年來的老劉，

　　不過是——

　　地位漸漸高，工餉多起來，

鐵老爺也很有希望了，

也只願太平無事，

老來得過幾天好日子。

不料有些壞東西，

給他送帖子，送禮，

拜他「老頭子」，

借他的勢力，

好在鐵路上揩油走私。

另有一般激烈的工人，

都罵他，看他不起；

逼得他生氣，

有時不得不借一點別的勢力。

現在呢？許多鐵路被日本佔去，

舊公務老爺！

現在，假使他不甘心做奴才

不做漢奸，

我們特別尊敬他，歡迎他，

並給他誠意的表示；

他害怕的上司，

我們不隨便打擊，

和他親近的一批工人

——47——

除了十分反動的，

我們都願意親近。

他就一定會跟從我們

——可是為什麼還不來呢？

這多叫人着急！

突然，有一種强烈的恐怖，

像一陣旋風，

捲在阿根的心裏：

也是這麼冷的一個冬天，

比這更黑的一個夜裏，

他們十二個工人，

在上海滬西

一個草棚裏；

正開着會議，

他們放出去的一個青年步哨

驚驚慌慌的跑來報告：

『巡捕來了！』

有些人，

瞪着眼睛，

準備逃跑

阿根，這一個猴了

他立刻把他手上的名單，

揉成一小團，

塞進口裏，

活生生地吞下去。

『還有路逃嗎？』

不知是誰問。

阿根吞下名單立刻喊一聲：

『逃！快逃！』

他知道草棚的週圍，

是一片曠地，

從曠地出去，

有小路幾條。

他們誰也顧不得誰了。

一齊往外逃。

可是巡捕已經圍到門外不遠了。

巡捕開槍——

一來是要禁止他們跑，

二來也是巡捕很膽小，

——49——

恐怕這一羣工人有槍，
自已先把膽子壯一壯。
後來只有五個人跑掉，
阿根是跑掉的一個。

現在他恐怖，
像看見了鎗，
看見脚鐐！

『老劉爲什麼還不來呀？』
『鬧出什麼亂子呢？』
『有誰探上來盤問呢？……』
阿根甚至有這樣的念頭了：
讓大家喝酒，
喝着等老劉。

可是他先前的膽兒，
說來好像一塊鐵，
他一時不便，
把他這塊鐵，
擱在路上，

—50—

臉上鑑子，

自己拿起榔頭來，

『康』的一下子。

他怕麻子們笑他——

『忽陰忽晴，忽風忽雨

你沒有一定的主意？

他石麻子還是在抽煙

裝向上，一點看不出煩燥的樣子，

他又才努力鎮定他自已。

辦起也眞難，

你要爭取一個人！

這個人，跟你來

還不是甘心情願，

假使他的地位比你高，

他的年紀比你老，

你不給他個特別尊敬，

那他口上縱不說，

心裏一定不高興，

甚至影響你有許多事都做不成。

——51——

你要是個中國人，

這種道理你就該相信

何況你想救中國，

你對人就該

更謙虛，更恭敬！

啊！好個李阿模，

　　他就是一個了不起的中國人，

　　後來他曾把這個道理，

　　說給這般工人聽。

可是他又說：

　　『對親近的朋友，

　　對那些有決心的抗戰弟兄，

　　這個也不必，

　　因為他明白他的責任。

　　有人批評他：

　　『這不太滑頭了嗎？』

他又回答了一個笑話：

『我勸你做一個救國的工人，

不是叫你做個狡猾的狐狸精。

你隨便地

把我這一套法寶拿去使用，
你弄壞了我的招牌，
　　　我的法門，
可要你賠我「兩黃金。」

你要使別人堅定，
你自已先得堅定。
阿根又在努力堅定他自已。
他走到窗前
他對那個方臉銅匠說：
『我給你換班，
你去坐下抽根煙。』
他用袖口，
揩乾了玻璃上的水氣一小塊，
他想看看小黑炭——
不能看見小黑炭。
可是他相信：
小黑炭是一定在對面。

——53——

(三) 小黑炭放哨

讓我來講一講小黑炭：

小黑炭已經在馬路對面。

馬路對面光線很暗淡。

那邊像是停着九六部汽車

卻離他這裏很遠。

他也不好常常在這裏，

站久了怕有人懷疑，

站久了脚也太冷，

他在五十步內外走來走去

那時的鄭州，夜裏你可不敢打手電，

打起了電來，

會被人家懷疑是漢奸。

他本來短小精悍，

行動夠靈便，

又穿一件黑棉布大衣，

偶然有人過馬路，

也看他不見。

小黑炭，他注意在街，

注意暗探，

注意着老劉！

注意漢奸——

假使有幾個不平常的人物，

和着老劉一道來，

那麼老劉一定不忠實，

『他出賣！他出賣！』

要是他獨自歸來，

就沒有什麼危險，

　　這裏不是十字路，

　　他的眼睛只須兩頭看。

　　天是那麼冷

　　他是常常縮着一小團

他看，他看：

——55——

這可應該當心了！

在馬路左端，

離他二百多步遠，

前面有兩個馬燈，

後面，後面跟着一羣人

人多少，看不清，

走的可是很整齊——

「那是軍警來查夜？……………

是的！…………

他們只在路上看，

不要上酒館？…………」

那兩個馬燈搖搖擺擺——

阿！還有很強的手電——

　　那手電照過了馬路的左邊，

　　又照到馬路的右邊。

隊伍走的並不快

分明只在挨家挨戶的查來。

　　離他只有一百步多遠，

　　假使那手電向他射來！

　　他想立躍過馬路

——56——

闖往一條小巷讚。——

『不對，不對！』他想到了，

『我不能離開我的崗位，

並且在那個巷裏頭被發見，

定疑我是漢奸！』

突然又有一個可怕的想頭出現了：

『老劉也在隊伍裏面？』

這多麼可怕，也多麼可恨呀—

『不會吧，他帶人來抓，

不會走那樣慢的步法。』

『不管怎樣，

應該給他們第一次警號了！

他決定這樣，

很快他便走過幾步來，

抽出一支煙，

幾根火柴。

他側頭，看窗口，

好像是瞄準，

擦第一根火柴。

——57——

可是糟得很，

許是天氣冷，

頭根就沒有擦燃！

這好比和人賽跑：

你慢了一步，

傍人就會趕上來，

你跑的更快，

旁人離你彷彿遠一些。

他咬了一下牙齒，

再擦第二根。

第二根擦燃

他假意拿到口邊，

又故意把火吹滅

他再擦一根，

這根擦燃了，

他一面吸煙，

一面再向樓頭看；

樓內有什麼動靜，

他却一點看不見。

——58——

他立刻對着那兩個馬燈走去。

他回頭一看，

已經看不見酒館。

再回頭，

手電閃着他的眼；

他可是不退，不讓，

不變方向，

走起路來像平常。

『站住！』——對方喊！

他便站住。

『什麼人？』

『鄭州站工人。』

『到什麼地方去？』

『到街上買點東西——』

他的態度一點不慌張，

回答的也毫不勉強。

他並且一面在回答，

一面在探望，

有沒有老劉，

——33——

在隊伍裏頭，
或者在前後左右。
裏頭并沒有老劉，
他才一點不担憂。

他見——那個隊伍前，
有一人掌着令箭，
第一伍手挽大刀，
其餘的都是背槍。
他們來查夜，
主要的是漢奸。
眞眞抓住了一個漢奸，
也許馬上就會用刀砍。

一個班長似的說：
『搜他一搜！』
小黑炭忽然想起：
他的口袋裏，
有一把石子，
這一定叫人懷疑！

可是他立刻又已經想好，

　　他決定回答：

　　「是我在家裏睏覺，

　　我不知道是誰給我裝上的，

　　許是鄰家弟弟跟我開玩笑。」

一個兵士走過來，

天很冷，

他的動作並不怎樣快。

　　小黑炭不等他走進身邊，

　　像一個沒有含糊的人，

　　大大方方地微笑着：

　　「請搜吧！

　　連衣裳也給你打開。

　　搜不出什麼來，

　　你懷疑，拿我番號，

　　和我一同到車站……」

那士兵早已不想動手，

班長喊「搜」也有一半是「裝佯」，

——61——

士兵照例摸摸黑炭腰，

沒有手槍。

無意地摸進大衣袋！

還可有點糟，

　　摸着一把小石頭！

兵士問：『裝這東西幹什麼？』

黑炭把他準備好的話，自己辯解，

可是班長過來了，

他看看石頭，

拔出槍來指着小黑炭：

『搜！搜！好好的再搜！』

任你小黑炭毫不慌張，

你能大大方方地說知道長，

　　也再搜不出，

　　更比石子可疑的在你身上，

可是他們看着這些小石子，

　　以爲石子裏有什麼電，

　　或是有什麼想不到的東西，

　　假使把塊石子擲到窗中去，

　　也許變成一隻火箭，
　　好叫敵人來空襲。
他們盤問來，盤問去，
這也覺得可疑，
那也覺得可疑，
再也想不出別的法子。
他們只好照長官的命令：
『寧願抓錯七個人，
不要漏掉一個人！』

他們再追問：
『和你一道出來的，
還有幾個人？』
黑炭還是大大方方的：
『若果再有一個人
那人一定是妖精，
我口袋中的石子，
就是他裝上的也說不定。』

黑炭這樣說，
他可想不到——

——[illegible]——

隊伍裏有一個兵，
簡直相信果然有妖由。

『寧願抓錯九個人，
不要漏掉一個人，』
班長叫手持大刀的
　　那一伍士兵，
　　抓住小黑炭的大衣領，
他喊『向後轉，
　　快步走，』
他們雖然不以為
　　小黑炭是個漢奸首領，
抓了一個嫌疑犯，
可也希望有獎金。
他們馬上帶回營裏去審問。

黑炭見他們不往酒館方向去，
　　他雖然覺得十分可怕，
　　卻是很安心。
　　他希望，今晚的會議，
　　能夠開成——

『會議能開成
我去坐上兩天冷板凳也不要緊——
反正我不是漢奸，
想你也不會隨便殺人！』

他也希望同根們知道，
早早想法打救他。
他痛恨老劉，
却也很希望老劉：
不要做『走狗』。
老劉眞的來開會，
組成游擊隊
放他出來時，
他還是要參加游擊隊。
…………………………………
…………………………………

四 老劉催名册

那末，那個被人駡，被人等的老劉，
你猜他在那裏呀？——

——65——

當小黑炭放哨的時候，
他正小跑小跑的，
剛剛走到一家小屋子門口。
門虛着，他拍門：
『張德仁在家裏嗎？』

一個婦女知道是老劉，她回答：
『門是掩着的呀，
請推門，進來吧！』

老劉一推門，
不見張德仁，
只見德仁妻，
坐條小板凳，
敞着胸口餵孩子。

老劉問：『嫂子，
小孩的爸爸不在家？』
『不在，他找你去了。』
『哦！那末——』
他想回頭走。

婦人又說道：

『劉大爺你請坐一坐，

當家的說：你來請你等一等，

他找不見你，

他巧上就回。

你別走，

你抽煙，

奶奶菩薩面前，

　　那個小香爐背後。』

『我的身上帶着煙。』

他掏出煙來，

他的身上忘了帶火柴，

他走過一步，

想就煤油燈吸煙。

婦人連忙阻止他：

『不行！不行！

那吸了，煙有煤油味？

火柴也在那個小香爐背後呀，

讓我認來——』

—67—

女人嘴比老劉快，

到她說：『讓我起來，』

老劉才得講：

『你別起床，嫂子！

你看我這老糊塗，

抽了多少年的煙，

用了多少年的煤油，

在從前，我把拆下來的機器，

用煤油，洗得乾乾淨淨後，

我不也用鹼退手，

　　用一塊粘石頭。

我吃我抽，或者把手退淨後，

哈哈哈……老糊塗！老劉！』

其實他對小節一點不糊塗。

他好比才走完一段邪路，

　　他得轉上幾個灣，

　　才能從那邪路到正路。

邪路走慣好像很平坦，

如今要轉幾個灣，

好像很困難——

腿得忙，

心得想，

眼睛不但看方向，

還得看路上又看路傍，

走得不禁會跌倒，

路傍跳出人來會上當。

他不是糊塗，

是有點慌張，

今天沒把心思用在小事上。

他想着阿根，

　　不願阿根在小酒館多管；

他想他加入了阿根他們，

　　應該佔一個重要地位。

要佔個重要地位，

就得多找一些人登記——

　　這樣組織起的游擊隊

他可以參加指揮；

也好叫阿根們對他相信。

可是張德仁的身上帶着登記冊，

—— 69 ——

他不得不等暖滋仁，

什麼煤油味，是他沒有留心！

現在他才有點留心了——

他見棹上有片破紙頭，

立刻用那點着火。

婦人又說『有火柴，』

他回：『給你小孩省下一點算一點，

俗語說：

集少成多，

集狐成裘。』

婦人拍着孩子背，

看看孩子說：

『唉，你爸爸也有這麼打算嗎？寶貝，

你大了，我就不用愁！

可是叫他少喝一碗酒，

有不勸還好，

你勸他，他給你賭氣，

他更給你喝個不抬頭！』

老劉聽了一時很不安，

覺得這家娘倆很可憐。

——70——

『我好像一個魔鬼，
要帶走這孩子的爸爸，
說不定，就會使她夫婦倆折散。
這丈夫不會存錢——
沒有這個丈夫呢，
娘倆許餓飯？

『登記！登記！
奶奶的屄！』
他覺得可憐，
他詛咒了
可是詛咒在心裏。
『叫德仁登記，
德仁手裏那一本冊子，
他老婆知道了呢？
還是不知道呢？………』
他詛咒罷了，覺得有點恐懼，
對那娘倆對不起。

他想回頭走，
走到半路上，

遇見劉懷仁，

他要說：

『聽說你是登記的，

因爲你家有妻子，

你願掛名掛個名，

不掛名也由你。

這個游擊隊要開出去，

你也可以不去？………… …… ‥』

懷仁妻也像別家的婦女，

有個熟人來，丈夫不在，

她是很會訴苦呢——

甚麼『快要過年了，

　　孩子們沒有一件新衣』

甚麼她勸她丈夫，

　　丈夫不聽，

　　她再三再勸，

　　丈夫還要扯住她的頭髮打她啦。

客人成了她的訴苦杯，

其實等到客人回去了，

兩口兒還是要在一頭去睡覺。

假使在平時，

這個老禿子，

他會幫着罵德仁，

可也會說些德仁的好話，

同時更要稱獎德仁妻，

說『萬一沒有你嫂子，

他只要能換酒吃，

　　冬天也會當褲了。

不過他也會對我們說，

他知道嫂子你是賢慧的…………………』

可是，今晚呢今晚，

老頭子沒有多話談。

談起話來總有些不安。

不一會，他又想到了阿根。

阿根像是他的死對頭：

阿根講的道理是真的，

多數人都在阿根的背後。

我老劉就好比一隻老馬，

阿根呵！

你拿着鞭子在我腿上抽又抽。

阿根也好像他最好的一個朋友：
工作來，
他的半個身子彷彿落在糞塘中，
　　不好當衆抬抬頭。
只有阿根走到糞塘邊，
給他伸出一隻手，
要叫他再過些光榮的日子，
就從「二七」到北伐那樣英勇戰鬥。

他又想到張德仁：
德仁像是他多生的一雙腿子，
叫他跑路做事都不難，
也像他多生的一隻膀子，
他說要打誰，
德仁就會去打誰。
跑罷打罷了，
得他一些小恩小惠。
他要參加阿根們，
他還不願撇下張德仁。

他分明，在和德仁妻子爭：
他也要張德仁，
那個妻子也要張德仁，
那個小孩子，
　　更需要一個掙錢的父親。
　　可是那妻子還不知道，
　　世間有這樣的一種鬥爭。

「啊！他還不回來，
　　我去找他吧，」
老劉站起來，
婦人又叫他「不要走，
路上鬧過了，
又辦礦頭。」

正說著，滿臉絡腮鬍的張德仁回家了。
這個家，再多兩個人，
你就不容易轉身，
除非你把那張桌子抬出門。
可是煤油燈，瓦香爐又擱在那裏呢？
還有桌子下的破銅爛鐵，

——75——

和那些罎子罐子…………

並且你要抬出去，

這就不像一回事：

那有板壁上貫着祖先牌，

面前沒有桌子擺一擺酒飯。

丈夫和老劉坐在一塊。

妻子看老劉：

戴一頂醬色氈帽，

穿一身黑嗶嘰短襖，

披一件長外套。

胖是胖，還結實，

老是老，面孔還沒年紀那末老。

看她丈夫呢，

一身藍布短衫褲，

罩着一件破外套，

雖然才[illegible]十，

面孔却比年紀高。

她想她的丈夫學得老劉嗎，

她的這半生多舒。

老劉覺得家裏不便談，
他哄德仁妻，
說是有點事，
一同到外面，
馬上就回來。

到門外不遠，
老劉低聲問：
『名册呢？』
『在這裏。』德仁回。
老劉取過名册來，
又問：『多少人登記？』
德仁答：『我說是你叫我登記的，他們差不多全寫
　　上名字，我這本有八十四。』
老劉很滿意。
他現在，只想拿着他所有名册，
快到那個酒館去——
先前，他想遇見德仁這樣說：
　　『因爲你家有妻子，
　　你願掛名掛個名，
　　不掛名也由你……』

——77——

現在呢？還[illegible]，

　　他也會想[illegible]，

　　可是他一字不提。

他只拍拍他的肩頭兩下子：

　　『好兄弟，明天見！』

說吧，他便走他的。

　　天陰，風冷，

　　遠處燈，昏沈沈—

老劉專從小道走，

只恐路上遇熟人。

走慣了的路，

好比背熟了的書，

他可以一面思想，

又可以放開大步。

他把他懷裏的名冊，

　　摸了又摸。

他差不多要說：

『我帶一支游擊隊路過，

誰也沒有瞧見我。
阿根！阿根！
料你也猜想不着，
我在三天半，
登記了許多。

『麻子也會來的吧？
他罵我，輕視我——
哦，在幾天以前，
那是應該罵的呀，
今天他還敢罵我，輕視我？

『他們等我，太久了吧？
他們各自吃，各自開會？
開了會，各自回？
他們回，明天我去找阿根？……
不，他們不肯看重我，
我把我的這一把子人，
另外組織一個游擊隊——
不，麻子和我反對………』

——廿——

可是阿根找我幾次了，
他誠懇，實在誠懇，
他不要和我反對．．．．．』
他又想起張德仁的一家子：
『要德仁一道做事，
是爲我個人的利益？』
他提出這樣的問題問他自己，
是他以前不會有過的。
他今晚覺得——
　　若是只爲他個人的利益，
　　那實在可恥。
到後來，他囘答了這問題：

『不是！不是！
今天人半不爲我自己。
我的老婆雖死了，
我也有一個養女，
萬一我的老命潤丟了，
那又爲誰呢？……
這個官司不能和我打，
和阿根——

—80—

不，和日本打尖！

…… · · ҭ ……」

那圓圓的天，

好像是一把月琴，

那火車上的電線，

好像月琴上的弦。

老劉這一鋼也彈，

　　那一鋼也彈，

彈到後來，他覺得：

十年以來只有今晚最痛快！

因爲他現在的工作，

是能叫人相信的。

他忠實，他的登記很賣力。

他往酒館來，

走近路，得經過車站，

他恐惹麻煩，

決定不經火車站。

他會拐命灣，

繞起路來不算遠。

——81——

鐵軌可是不能不過的，

他跨過幾條鐵軌。

有一次，他往車皮底下鑽，

他忽然想到：

　　『日本兵打來，

　　我還能和你們天天在一塊？』

他摸摸那車子，

又摸摸那彈簧，

這些東西，

和他是多麼的熟習，

　　多麼的親熱，

是和他，十幾年來，

一道生活過的伙伴，

也像是他養育起來的一個小孩！

他感到，他們就要分別，

不知分別幾月或幾年！

他年近半百，要參加游擊隊，

說不定，這就是永遠的分別！

他的老淚，不禁落下來，

他抱着一個車輪，

　　和那車輪去親嘴，

像親著他自己的一個小孩。

鋼呵冷，

心呵熱，

只爲愛，

愛在鋼與心中間，

鋼與心結合起來——

人有鋼心好作戰！

親嘴一會，

他從車下爬出了，

他的心變鋼心了，

他對那車子暗暗發誓：

『我要拚命保護你！

不叫你被日本人搶去，

你被牠搶去，

我們定要把你奪轉來！』——

說到『我們』兩個字，

他摸着，

他懷中的游擊隊名冊。

他不再悲哀，

——83——

而且他[illegible][illegible]萬分地
看重了那酒館中的會議。

他忘記年老，
腿子也有想不到的快：
他一直一直
　　走向那個酒館來。

這時候，
那班查夜的，
剛剛過去不多久。
老劉一點想不到：
小黑炭，大牛爲了他，
被人懷疑是漢奸。
他也想不到：
阿根們是剛才幾分前才動候；
不過因爲大家肚子餓，
又因沒有聽得石子打到窗子前，
有的人簡直在虎嘯龍鬆。

五　團結起來了

每一個疑問，
遲早總有個『水落石出』——
樓下連聲喊：
『劉大爺來了……』
老劉忙上樓，
那快樂的堂倌，
　　跟在他背後。

大家一齊站起來，
誰的眼光都向樓門看。
阿根早已到樓口，
笑呵呵彎下腰，
接着老劉手，
　　幫助他上樓。

工錢少一點的工人，
見了工錢多的工人，
做工年數短的工人，

見了做工年歲長的工人，
不管你對他，
怎樣不高興，
你一見了他，
總怕他三分，
還有些自自然然的尊敬——，
那也好像不是完全尊敬當面這個人，
是尊敬工人自己的勞動，
尊敬人類工作萬苦千辛。

老劉連說『對不起！』『對不起！』
一個『對不起』灣腰一次，
客氣了又再客氣。

他先前何曾耍刁，
他上得樓來，
便是恨他的疵子，
也都看不出一點惡意。

他是四十八歲的老頭子，
笑起來一團和氣，

——86——

可在笑容裏，
還要進一步觀察他們——，
有沒有誠意，敵意，或是惡意。

阿根還覺得美中不足：
假使不吃，再等幾分鐘，
老劉一定更加受感動。

可是王小五說了：
『你看，我們剛剛才動筷子，
你不相信你請問堂倌，』
他這話，大家都覺得很幼稚，
可也是大家但說不便說的。
老劉連忙請大家坐下，他說：
『大家應該先吃着。
累人家久等，
我要敬大家一杯！』

王小五又接過嘴：
『要副你添兩個菜。』
老頭子說，『好，好，好！

——87——

我[illegible]。』

鬼也沒有想到吧？
有這樣的事情：
阿根只担心麻子，
　　　卻不料，
麻子站起來，
很嚴肅也很和氣，
他拿起酒杯，他說：
　　『劉大爺——』
老劉吃一驚，
連忙站起來，
他覺得非常奇怪，
在非常的歡笑裏，有非常不安。

　　麻子斟滿酒又說：
　　　『請你喝下這杯酒。
這杯酒，會到你的肚子裏告訴你：
麻子從今不和你記仇！』

老劉又道三個『好，好，好！』

他說：『本來沒有什麼仇。』

阿根也說：『本來沒有什麼仇。』

老劉端着酒杯要喝酒，

王小五在一旁唱道：

『一杯酒，

喝了咱不和他記仇！』

人家正發笑，

第二杯又斟上了。

王小五又唱道：

『二杯酒，

喝了祝老劉長壽！』

第三杯。

『三杯酒——』

王小五接不上去了。

崔得壽提起另一把壺子說道：

『三杯酒又怎樣呢？

你說不出來，

我要罰你這個三杯酒！』

——99——

王小五搔一搔頭，

　　『哦！有了，』他說：

　　『三杯酒，

　　　　我拿鐵擐棍，

　　麻子不和氣，

　　　　我打麻子；

　　老劉不和氣，

　　　　我打老劉。』

惹得惱這一位頑皮青年

　　又和他搗亂：

　　　　『講的好，講的妙，

　　　　王小五戴荷葉帽。』

小五口風[illegible]伶俐，

他馬上回道：

　　『我還沒有討老婆，

　　那裏能戴荷葉帽；

　　你要我戴荷葉帽，

　　把你妹子嫁我好不好？』

阿根起來解交：

『小五，怪你不戴荷葉帽，

他的妹子年紀還小。

來，大家都斟個滿杯——

我們都歡迎老劉！

我也要向王小五說話：

好兄弟：

我們是反抗壓迫的患難兄弟！

我們是一條戰線上的朋友！

個人的私怨和仇，

好比破草鞋，

可以拋丟就拋丟。

你們倆已經和好，

我們都勸了他倆，』

他說罷大家都喝酒。

原來在老劉的心上，

好像吊着一塊大石頭；

現在呢，現在呀，

他的心才『咥嗵』地放下來了。

——91——

他像還了一筆冤孽債，
也像是債主當面說不要償還。

那個堂倌走過來，
故意討大家心歡，
他向老劉說：
『你看，他們足足的
等了你一個多鐘頭。
真是在你到了三五分鐘前，
他們才開始喝酒。
我在鄭州十多年，
還沒有看見過，
工人請工人上館
一等能等這麼久。
局員請上司，
那不希奇，等幾個鐘頭。
我說劉大爺，
今天他們給你老做壽？』
老劉的心眼，
堂倌想不透。

老劉跟了這般兄弟，
這麼樣的指變他自已，
他想到從前，
有時給這般兄弟爲難！

他看着阿根，
他有點慚愧；
阿根一直前進着，阿根光明，
明得像機車上的兩盞電燈。

他看[illegible]子，
他要[illegible]説，
[illegible]子一夠不記仇，
還來給他敬酒。

他看着這般兄弟，
他慚愧，
看他們有些疲勞，
可都像開足火力的車了。

他喝酒，

—93—

他的嘴唇有點抖，

老縐縐的手也有點抖，

他看見燈光朦朧，

他不知又是他自己的老淚呀，

老淚已經汪在眼眶中。

一個人的心，

有時小起來，

不容傍人載下一棵針；

有時大起來，

他能包容幾千幾萬人。

一個人，

因爲好久都在黑暗中，

突然間，見光明，

那叫他狂喜，

　　狂喜到落淚，

『啊！也許是山上的鬼火吧？

　　那是光明？』——

他多少還有些疑心。

好比一池水，

打開了浮萍，

乍看水如鏡，

再看再存時，

水裏總是有些渾。

自然啦，

渾水能變清，

人走近光明，

就不再疑神疑鬼

他曾經忙着登記，

他曾經——呵，

他而且曾拾[illegible]，

[illegible]彈簧都[illegible]嘴。

他的小心變成大心了，

他的方向不[illegible]了，

他雖然[illegible]他，

他發抖，

他[illegible]淚。

可也感覺到這般兄弟們給他的尊敬，

在今天，他當得起這樣的尊敬。

人只怕利害不同，

人只怕有兩條心；

利害一相同，

大家一條心——

你得勝，

我光榮；

你被害，

我擔心；

老劉知道要開會，

他叫來堂倌，

　　『你再切幾盤，

　　是我添的菜。

　　你可以好好地休息一會：

　　不叫你拿來，

　　你不要拿來！

　　勞累你，不會少給你酒錢。』

堂倌下樓去，

是他坦坦白白講話的時候了：

　　『諸位兄弟』

他用一種誠懇和藹的口吻，

　　『今晚夜，

我要打開窗子說亮話：

前幾天，阿根來看我，

說要組織游擊隊，

我當時沒有表示贊成，

也不說反對，

我只說：

　　「從前要組織工會，

　　還有多少人不加入工會，

　　現在他們願意加入游擊隊？」

我表示懷疑，

這懷疑，有一半是真的，

有一半是故意推諉——

我想你們還是一般冒失鬼。

　　『過幾天，

阿根又來找我了。

他說日本鬼子佔據了鐵路。

他能夠保持運輸，

這完全是鐵路工人的恥辱！

假使我們有準備，有組織……。

唉，他的話是滿對的！

『可是他要我出來，

我還是推諉。

我拿什麼理由來推諉？

我說：「我老了，

游擊隊將來要爬山，

我不能跟着爬山。」

不過，這一回，

我的看法改變了，

我不再以爲

你們還是冒失鬼。

我只沒有把我苦衷講給阿根聽。

什麼是我的苦衷呢？

你們知道，

站長已經叫我去問了又問。

『前三天，阿根又找我來了。

我沒有瞎眼，

一車車的傷兵，

不是運西安，
就是運武漢，運湖南。
這幾天敵人拚命
轟炸洛陽，鞏縣……
阿根說有八百多人登記了，
這一回，我看那趨向，
好比黃河水高漲，
我不能一手遮天，
又那有阻止的力量。」

『我說你，阿根呀』
他笑了。
『你只有兩張嘴皮，
卻能講萬般道理；
你只有一雙眼睛，
能看見幾萬人的命運。
我不能不佩服你，跟從你！』

他們都轉眼，看一下猴子。
猴子一陣臉紅了，
那一種不好意思的樣子，

——99——

並不是他有意做作的。
但他還怕露出了一點驕傲的神氣

麻子聽老劉的自我批評，
不但眞眞地消除了舊恨，
並且他覺得——
他先前對老劉表示的尊敬，
還不算十分誠懇。

『阿根——』
　　老劉鄭重地發問。
『到今天
　　登記了的一共多少人？』
阿根回：
　　『一千三百多人了。
　　行登記的還不在內。
　　你呢？』

老劉先微微一笑。
阿根看見他微笑，
猜他登記成績一定好。

可是他們都不能料到——

老劉說：

　　「我才登記了六百二十二人呢？」

他清清楚楚的說出，

能說出一個確定的數字；

不像李河根，

只能答一個概數。

這多夠驚奇，

才不過三日，

他就能找到，

六百二十三個人登記！

王小九想說：

　　「這老兒，

　　不幹就不幹，

　　幹起來，

　　白刀進，

　　紅刀出。」

這世界，

看來天不翻，

——101——

地不轉，

日月仍舊從東來，

可是抗戰才半年，

中國社會的變遷啊，

比過從前幾百幾十年。

在今天，

你從一個人的身上看，

他得相信那句老古話：

　　『三日不見，

　　刮目相看』

王小五悶着笑話不講，

算得一件怪事了，

怪中怪是麻子聽老劉講話，

公然也像發了呆：

那失業的老萬，

他的眼，原來就像死魚眼，白翻翻；

聽到『六百二十三』，

他的眼仁突然鼓起來，活起來。

讓你一張嘴，
講得天花亂墜，
拿不出事實，
你能說服誰？

老劉他要拿出事實來，
他說：
『我告訴你們，
假使可以完全公開去登記，
我想兩千以上還不止；
我登記是一半公開一半秘密好。
我也怕站長知道，
讓我塗一鼻子的灰。
我週圍也有幾個人，
他們的心術不正，
我得費一翻苦口婆心。
當然啦，我也嚇一嚇他們
我說：
「恐怕游擊隊事情弄好了，
你們的臉上都沒有光輝！」
他們沒有我，

——103——

覺得勞力很孤單，

他們只得跟着我過來。

還有幾個人另有心眼，

他看我從那邊走過來，

他想，這是他出頭的日子到了；

可是馬上他要破壞我，

諒他今天還不敢，

他不能只顧眼前！

『我連天連夜叫人聯絡，

對待那和我一般年老的，

我就親自到他家裏去。

『我告訴你們，

今晚我來過，

並不是擺老架子』。

他接着便掏出了一捲毛邊紙，

交到阿根手上去。

他說：『足足六百二十三個人，

一個也沒有少的。』

——104——

是的，阿Q立刻也就會估計——

「老么雖然懂得了還會科學，

牛數不一定是可靠的。」

可是他知道：

工人的組織——

像工會，像游擊隊，

只要他不是漢奸，

他還有一點工人的味兒，

都是應該歡迎加入的。

鬥爭是一個熔爐，

你是鐵，得鍛鍊；

你是鋼，得燒紅；

不是拿去打，就是拿去壓；

打成功，壓成功，

有些還要好好磨，

磨得有點不合式，

還不中用。

組織群衆，

首先是把他們引到熔爐中。（八路軍宣傳部編）

——105——

六 破壞隊產生

阿根提議正式開會了。
他舉老劉做主席，
大家都同意。

老劉忙搖手，
　　『不，不，不，
　　還是阿根；
　　他行，他比我行。』

阿根謙卑，
老劉客氣，
老劉甚至說：
　　『要我做主席，
　　打我幾下還好呢！』

王小五說道：
　　『不要什麼主席不主席，
　　大家隨便談談好了。

　　可惜你們不舉我，

　　我到很想當主席，』

老萬是個和事老，

他說：『不要耽擱時間吧！

　　劉大爺和阿根，

　　隨便一個做主席』

老萬意見好是好，

可不能解決問題，

因此有人提議『拈鬮』，

有的說『猜拳』。

推一個主席

有的人看來，

還是無足輕重的。

『麻雀雖小

肝胆俱全』

阿根主張要主席。

有的人不重形式，

——107——

可是形式有時滿要緊，
沒有形式你就辦不成——
阿根再三再四地，
請老劉不要推辭。

一時鴉雀無聲了。
老劉，他紅着那飽經風霜的臉。
站起來，搓搓手，還有些害羞。
老萬說：
　　『坐着講好吧！』
他才坐下。

他從客氣話講起，
再講到團結的重要。
最後，他說：
　　『一共二千多人登記了！
　　今後怎樣做，
　　請大家討論。』
他說『請大家』
其實他看着阿根，
讓阿根在先講話。

阿根提出了兩個問題：

一個是『怎樣組織』

一個是『怎樣使這游擊隊

得到站長和官廳的承認。』

討論到組織問題，

年青的都少發言，

因爲他們還缺少武裝組織的經驗。

老劉和麻子，在北伐時期，

都曾參加『平漢工人護路隊』，

他們是有一些意見的。

阿根呢？

當他還在上海作工時，

就有過

一次暴動的經驗了呢！

討論到『請求站長同意』

這可引起了不少的爭執——

王小五就很魯莽：

『奶奶的，他不贊成，

——109——

他是想做漢奸吧；
免得他後來搗亂
最好先把他，綑起來嚴辦！』
這完全是小孩子倔强，
冒失鬼的主張。

中國工人啊，
有一小部份，
他比美國進步的工人
還要更進步；
有一大部份，
他比西班牙的農民還不如——
你只看看阿根又看王小五。

麻子呀！他在這樣想：
『那怕全路五萬多工人，
一齊跪在車站上，
哀求站長，
嘿！真是你在「綁腰竹槓勾月光！」』
因此他主張：
『派兩個代表，

——110——

和站長交涉，

站長反對，

好，就讓他開除代表！

再派兩個去，

他若再開除；

再派兩個去，

直派他幾十幾百次！』

全世界有幾個工人，

他們是完全不怕開除的？

麻子的妙論，

又引起了大家的驚奇。

可是他又說：

『我們怎樣準備呢？

我們準備一個破壞隊。

這個破壞隊，

就是我們的準備！

這個破壞隊，

專門到北段，

和日本搗亂。

——111——

這個破壞隊，

就是要容納，

這許多被開除的份子。

我們有這樣的準備，

讓我先做代表去。」

老馬說：

「這是一個好法子。

可是——」

他想了一想——

「可是——」

可是什麼呢？

可是他也沒有一個好法子。

有是有一個法子，

這法子他是希望老劉去做的，

他特別地看看老劉。

老劉也明白他的意思，他說：

「唉！碰着這個我也搖眉頭！」

他停了一下，

摸摸他的鬍子，
那鬍子，可是前天才剃光了的。
他又說：
　　『我們只好邊請求，邊準備；
　　可是依我看，
　　準備還比請求要緊呢？』

麻子聽得很得意，
他想：『你也沒有更高明的法子。』

但是開會時，同樣是一個贊成，
贊成的目的不是個個相同的。
老劉又說了——他用一種最老成的調子：
　　『是的，成立破壞隊，
　　可收納開除份子。
　　可是收納開除份子，
　　還不是成立破壞隊的目的。
　　成立破壞隊的目的，
　　我想，是在維持南段的運輸。
　　維持南段的運輸，
　　才派破壞隊到北段去，

給敵人一個大大的牽制。』

他又帶上一個老於世故的口吻說：
『對待站長呢？
做事還要留餘地……』

這本是老成的見解，
他卻怕，有人背地裏懷疑——
懷疑他和站長在一邊，
弄得不好，還疑他是站長的偵探。
他看着阿根——
他像老萬看他一樣的，
他希望阿根言語。

可是，這一回，
阿根卻在想問題：
看他左手托着臉，
右手指頭夾着一根煙，
他彷彿在緊緊地咬着牙齒，
不轉眼地，瞅着他對面的什麼東西，
那東西卻並非羊肉，

——114——

是他思想裏的東西。
許是因爲老劉已經和他團結起來了。
他對於老劉，
也就沒有先前那麼樣的注意。
到他感覺大家不說話，
他和老劉眼碰眼，
他才很抱歉。
他和大家生活在一起，
他可有一種特點——

他是工人中的『知識份子』，

有一種思想家的神氣。

『阿根，你的意見呢？』老劉問。
阿根急忙答：

『麻子提出的辦法？

直接痛快；

劉大爺的——

雖說是轉灣一點，

可是很週全。

… … …………』

他現在言語，

——115——

也已經不像先前那樣的顧忌，
但也還是不願太遭遭——
他接着，又把過去的經驗，
　　做一個總結：
是預防
有的只看見過去，
　　看不見今天；
有的只看見眼前，
　　看不見將來，
或是只看見將來，
　　看不見今天——
　　來一場胡亂爭鬪。
他說：『這幾年來，
　　我們有許多錯誤：
　　要不是拚命地瞎着眼睛冒險，
　　就是成立個什麼工會，
　　只在工會門前掛塊空招牌，
　　什麼工人利益全不管。
　　這樣可就發生了幾種弊病：
　　一種是，羣衆害怕，
　　不敢跟你去冒險；

——116——

一種是，你不管，

他也不管，

完全對工會冷淡！」

他這批評，係兩粒子彈，

一彈打盲動冒險，

一彈打掛空招牌，

兩粒彈都正中紅點。

他也好比在畫龍，

畫下頭來才點眼——

他接着又說：

『今天，為什麼工人運動，

講合法，講公開，

因為取得合法公開，

怕的就不會再怕，

不怕的，更要跟你來，』

講到對付站長呢？他說：

『現在，時局改變了，

工人要抗戰，

——117——

站長他要抗戰，

誰不抗戰，

日本人打來，

你不做漢奸，就得做奴才。

我們，擁護我們的站長，

決不和站長反臉，

一定不和他反臉！」

可是大家心裏都發問：

「不和他反臉，

他偏要反臉，

我們怎樣辦？」

阿根又說：

「他要和我們反臉。

我們還是不和他反臉。

我們希望，在今天——

所有的工人和職員，

全團結在一塊，

參加抗戰！」

工人和職員，
能够團結在一塊？
許多都抱着疑問，
阿根卻沒有解釋——
解釋他是能够解釋的，
不過，他的注意力
　　已經轉到破壞隊那上面去。

　　組織破壞隊，
　　這原是麻子的提議，
　　阿根事先沒有十分想到呢。
　　現在，是被麻子提醒了，
　　他注意，可也還不是十分的注意。

　　為什麼？
　　　　破壞隊這種組織，
　　　　只能容納工人中的一小部份：
　　　　游擊隊才是更加廣泛的。
　　阿根想：
　　　　『我應該領導工人的多數全體。』
　　他不想在破壞隊這問題上面

——119——

用盡了大家的心思，
弄得不好呢？
大家會把游擊隊放棄。

他說：
『我們的破[illegible]隊，
應收[illegible]最勇敢，
最[illegible]子。
可是對[illegible]游擊隊，
你不該[illegible]！！』

[illegible]了手蹻起[illegible]了：
『我不是什[illegible]輕視。
是我想：要[illegible]站長要公開嚼，
破[illegible]隊就[illegible]是游擊隊的下場！
你不看站長，你要求，
他會贊[illegible]的主張!?

『他不贊[illegible]你，
你可是[illegible]——
你要做[illegible]又不願意，

——120——

給他來一個反抗，

那你不用破壞隊收場，

我問你，你能用什麼收場？』——

他並且提出：

『我說，這個破壞隊，

還得要完全秘密！

倘不秘密，

不許你組織；

就是組織起，

你還不能把牠帶出去！』

他停了一下，他又看着老劉說：

『破壞隊到北段去，

目的也不止維持南段運輸，

還要幫助北方軍隊打游擊。』

阿模說：

『我們不想在天空，

造鐵路，

在地上，

造鐵路：

——131——

計劃好，

材料充足，

人能吃苦，

困難多，

也可能克服。

游擊隊今天才在厂的下路，

　　做的是枕木，

你若一口咬定這條鐵路修不了，

那麼，枕木你們把它當柴燒，

路，你們改做汽車道，

你還會給造兵廠發個電報，

請把那些鋼改成大砲！』

阿火是對麻子開火了——

雖然態度還是很溫和，

他溫和地又說道：

『游擊隊決定不放棄。

站長也一定要爭取。

破壞隊是一個最重要的準備——

游擊隊做不成，

至少能帶破壞隊到北方去！

……………………………」

麻子也和氣地說：

「游擊隊，游擊隊，

你爭了又爭——

何必這樣爭，

我並不反對。

我不過是一心想着破壞隊；

我斷定：

破壞隊還要秘密

不秘密，未必了得起

應該秘密呢？不秘密呢？

討論的中心，已經轉移到這裏

有的說：

「游擊隊也得要幾分秘密。

破壞隊，不公開，

也不可完全秘密——

有些地方可以不秘密。」

這話講來很中聽，

——123——

可是他沒有舉出實際的例子——
　　在怎樣的地方該秘密，
　　在怎樣的地方不該秘密。
因此，大家聽來還是摸不着頭腦的。

有的說：
　　『用不着十分秘密。』
　　他的理由是——
　　『破壞隊要到北段去，
　　北段已經是日本的勢力，
　　誰敢出頭反對你？
　　反對的，
　　我們就當他漢奸，
　　可以活活地把他打死！』

王小五頂贊成這種意見，
假使小黑炭在這裏，
他見阿根不看重這個意見，
他對王小五一定輕視——，
因爲他完全是相信阿根的。

——124——

老萬這位和事老，
這一次，他贊成麻子的意見，
他說：

『現在一定要密秘，
說𡁹你才好準備。
漢奸也不是容易發現的呀，
他頭上沒有漢奸兩個字！
我們在北段，
敵人打來了，
你才得見，
處處有漢奸。

麻子又為他的主張做解釋：
『老萬的話不錯吧？
你們想，說準備，
先先得準備許多東西，
破壞交通的傢司：
鐵規棍，鑿子，
起軌機，大鐵錘……
這些等等不算，
還得準備幾十磅炸藥呢？』

——125——

『我問你們——』

麻子很得意，

他像隻老鷹，

抓住了一個小雞，

問的滿有勁：

『我問你們，

這些能破壞的傢伙，

你能公開帶走麼？

不能的，這是不可能的；

不可能，你就得暗中行事，

你還應該再想想：

我們手裏沒有的傢伙，

還得叫機械[illegible]打去——

誰又讓你公開去打呢？……』

貓抓住老鼠，

玩來玩去；

鷹抓得山雞，

一到爪上你得死——

鷹是麻子，

　　小鷄是他手下的一個問題。

麻子和河根，
好比兩棵釘：
一是普通釘，
一是螺絲釘，
普通釘，一直打下去，
打得準，
他是直截了當的，
假使打不準，
你動鉗子拔，
拔出來，大半總是有點彎彎的。
螺絲釘，
他是一轉一轉又一轉地轉進去，
出來也是一轉一轉的，
他不容易受損壞，
釘起來，也比較結實，
可是兩棵釘，快就不能比。
現在呢？
　　破壞隊上釘上麻子這顆釘，
　　他有幾經也很打的準。

——127——

在阿根看來，麻子不像釘，
麻子很像他手下的機關車，
有一股頑強的皮氣。

阿根也知道——
麻子常常有特出的見識，
可也常常有偏見，
　　改正他的偏見很不容易。
『破壞隊是游擊隊的下場。
破壞隊要完全秘密？』
阿根想：
　　　　『大牛耍——
　　也許是——
可是誰能領導這個破壞隊？』
阿根想：
　　『要做得完全，
　　我不去，還不行，
　　要由麻子帶出去，
　　說不定，幾天就出軌』
不過，這又是阿根的偏見也說不定。

阿根他也不是貓，

抓着老鼠慢慢玩——

他回答問題，

總是實實落落的。

他回答麻子：

「破壞隊的準備，

目前該是秘密的。

準備破壞的條司，

應該祕密上再加祕密！」

「可是——」他又加一句：

「同時還要想法子，

用游擊隊的名義，

好好給站長交涉，

我們希望他同意，

他可能同意，因為在今天，

他還沒有做日本人的孫子！」

老劉這才看出麻子是棵硬釘子，

可是老劉也會虛心了，

——129——

麻子說破壞隊的目的，

那是看準老劉缺點來說的，

老劉不但不表示反對，

　　還表示了同意。

麻子呢，因爲大家都贊成了他的意見

他的態度也就很有點謙虛——

　　你不存點謙虛，

　　你眞是天王老子？

　　你不有點客氣，

　　那怕你的主張通過了，

　　誰又肯來接近你！

人高興自己的主張，

有旁人擁護執行；

　　你不肯謙虛

　　別人執行着你的意見，

　　也許同時就在想法打倒你。

　　麻子的想法雖沒有這樣曲折，

　　可是他感覺——

　　　　他的意見通過了，

　　　　彷彿他和這般兄們的關係，

已有了更進步的視聽。

一般問題大概討論畢。
老劉叫來了燈信。
有的人站起來拍拍胸膛，
有的走到窗子那裏看車站，
有的人伸個懶腰，
大半都抽上了香煙。
…… · · ………… ………

阿根這才想起小黑炭——
他想起把他叫上來，
　　一同吃飯。
可是他又想——
黑炭已經站了好半夜，
他願站下去，
明天可以和他另外吃一餐——
一個人，做事做到底！
成功了，成功了的喜歡，
比吃幾餐大菜還喜歡。

——131——

大鍋湯已熬過半乾，
木炭火，快要滅，
堂倌來動手，
一陣子的杯盤碗盞，
又像從夢中醒來。

大家重新坐上來，
因有堂倌在，
問題不便談，
有的人和堂倌胡扯蛋。

火再旺，
湯再開，
羊肉片又不斷地往鍋裏翻，
筷子不住嘴裏餵。

王小五的筷子特別動的快，
他想他會加入破壞隊——
　　『到北方破壞，
　　一天只忙着破壞，
　　那裏還有羊肉片好涮。

媽的，吃他一天算一天

得吃就吃個痛快！」

他可不知道，

在敵人後方，

在游擊區中，

並不是天天作戰，

有時苦，當然是苦的要命，

可是河北物價有的還比南方賤，

這樣的一餐，

也並不十分稀罕。

那個頑皮青年又笑王小五：

「小五：這是拚東呀，

慢一點！慢一點！」

小五這傢伙，

只愁沒有人挑戰，

他含着一塊羊肉還要說：

「你眞慢呀，

慢到你只希望着，

——133——

　　你嘴更比麻子還要多！』

這頑皮青年樹得瘋，討論問題時，
問他有沒有意見，
他就說『沒有意見』，
可是專找王小五鬧玩：
　　『小五，你太吃多了
　　放了這多屁！
　　……………………………』

邊吃邊鬧笑，
這是我們的習慣，
隨時都要板着一塊臉，
這世界還有什麼春天？

叫化子把蝸鵝——
苦中也作樂：

工人原來大半愛吃喝，
何況平漢路工資，
　　比起那路的來也不錯。

—134—

說是說，

笑是笑，

有些人可是

沒把重要問題忘記了。

衆當值不在，

他們推代表——

麻子他願意自告奮勇，

可是他不好開口，

怕人講他爭着出風頭。

別人也明白——

要他衝鋒很可以，

去和站長交涉萬萬使不得。

結果是大家舉手，

推定阿根和老劉。

老劉覺得很困難，

因爲站長對他不算壞，

他怕放不下情面。

阿根對他說：

——135——

『我們不是講過嗎？
不管站長原諒不原諒，
我們决不和站長反臉，』

阿根又故也激他：
『壞人讓我做，
好人由你來；
他和我有五分閙翻，
你快出來調解！』

老人受激，
往往不服氣；
瞞的人又從傍加油，
老劉才算不再辭。

有人提議：
『慶祝代表，
來，乾一杯！』

老劉在這熱烈慶祝中，
他也歡笑起來了。

他料到，這一次的交涉，
　　不會有成功的把握；
可是他已答應做代表，
他下了一個決心，他說：
　　『兄弟們交涉成不成，
　　我都一定參加破壞隊！
　　我也沒有幾年好活了，
　　我有這把老骨頭，
　　為了平漢路，
　　今天還好拚一拚！

你別看他年紀老，
老人出頭好號召，
他的這番話，
年青人聽了，
已經鼓得勇氣很不小。

一切安排後，
他們散會。

夜阿，夜深了，

——137——

又走到冷清的街上。

麻子低聲唱：

『放開大步往前闖！』

阿根又在計劃着——

　　怎樣去說服站長，

　　怎樣組織好，

　　　　這一羣工人的力量。

可是『小黑炭在那裏呢』？

找不見黑炭，

阿根像覺得：

一隻手膀子受傷！

王小五說道：

　　『這傢伙，

　　他故意擦兩根火柴，

　　開一個玩笑，

　　我想他早回家睡覺了。』

阿根皺着眉頭說：

『他從來不會這麼樣胡鬧！』

……………………………………………………』